Bière grenadine

Hélène VIGNAL

ÉDITIONS DU ROUERGUE

À Matthieu dans l'enfance,
à la mémoire de Yann dans l'absence.

À Kamal, ta présence.

1

Rentrée de CP. Septembre. Six ans tout neufs.

Yvan est là. Il sera là. Dans la cour, à la cantine, il sera là. Son regard me suivra, transpercera les murs, partout. Je n'ai pas peur.

Il marche près de moi, me raconte un nouveau jeu de sa console. Un truc de garçon où on dégomme des monstres bizarroïdes. Quand il rit, je ris en écho, quand il cherche à m'épater, je joue la stupéfaction. Je sens ma mère qui marche derrière moi, son regard est lourd comme une traîne un jour de sacre. Je suis la fille unique intronisée reine du CP. L'odeur de neuf qui m'habille, la raideur du rabat de mon cartable, mille fois ouvert d'impatience, mon collant parme, rien d'autre qu'Yvan ne me rassure.

C'est à lui que je m'accroche, parce qu'il sera là quand ma mère sera partie et c'est ça que j'entends quand il parle de son jeu.

– Ça me ferait peur, ton truc, avec des monstres à tous les coins de rue !

– Pfff ! tu parles ! C'est rien du tout, il dit.

Et moi j'entends : c'est rien du tout le CP. Il est grand, Yvan. Il est grand parce qu'il est en CE1 et que j'entre en CP, parce qu'il est le grand frère que je n'ai pas, parce qu'il n'a pas peur des êtres épouvantables qu'il élimine avec sa console. Il salue des garçons de son âge de loin et reste près de moi. En passant la porte de l'école, la gardienne lui dit bonjour. Elle connaît son prénom. Il m'amène jusqu'à ma classe. Il est là. Et quand il s'en va, je sais qu'il est encore là et que rien ne peut m'arriver.

2

Je suis revenue aujourd'hui sur sa tombe, seule, sans la foule en rideau qu'il y avait hier entre lui et moi. Je suis là, à me tenir debout devant la montagne de fleurs coupées posées sur la terre. Je vois à peine les rubans, les mots qui sont destinés à Yvan comme ils le seraient à n'importe qui. Je suis seule dans ce silence nouveau. À travers l'eau qui brouille mes yeux, je vois danser des guêpes ou des abeilles, je ne sais pas, qui viennent butiner les fleurs et ça m'apaise. C'est un bal bruissant au-dessus de son corps enfoui, arrêté là. Dix-huit ans à jamais.

Il n'y a pas encore de pierre sur sa tombe. Elle est faite de terre retournée, un peu trop jaune, cette terre, pourquoi ?, de fleurs qui se fanent déjà, une pourriture en marche, un grand compost dont le bois de son cercueil le protège encore. J'aurais préféré qu'il soit déposé dans la terre sans bière capitonnée. Juste comme ça. Mais ce que j'aurais préféré n'a pas tellement d'importance.

Parce que ça fait longtemps qu'on s'était perdus. Trop longtemps pour que je puisse avoir des droits sur sa mort et sur la mise en scène qui va avec. Je ne les imaginais pas comme ça, nos retrouvailles après six ans coupée de lui. Des retrouvailles avec un absent. Sa mort me ramène à notre lien, encore si vif. J'ai toujours vécu dans le regard d'Yvan. Alors, mort, il devient comme une caméra qui me suit partout. L'image de ce que je fais et sens est comme projetée sur un écran lointain qu'il serait le seul à voir.

J'ai un air de guitare dans la tête, un air très simple, qui fait *sol*, *si*, *do*, *mi* peut-être, ou *fa* dièse, *ré*, *sol*, *do*… Je ne sais pas, je n'ai jamais rien compris au solfège. Je ne suis pas musicienne. Je n'ai jamais d'air de musique dans la tête, à part les chansons de tout le monde, jamais un air comme celui-là qui ne me rappelle rien, un air qui a juste le rythme de ma peine, qui bat avec ma gorge serrée. C'est un air qui ne console de rien mais qui me tient la main. Le musicien, c'était lui. Moi, je n'ai toujours fait qu'écouter le bruit de ses doigts sur les pianos, les guitares et les djembés.

Je m'enfouis dans chaque détail de cet instant. J'entends le vrombissement des abeilles, je sens l'odeur chauffée des fleurs coupées qui suintent sous le cellophane, l'odeur plus fraîche de celles qu'on a plantées dans une mousse vert humide.

Hier, pour l'enterrement, combien étions-nous ici ? Ses parents, sa famille, ses copains que je ne connaissais pas, et ceux qui revenaient de loin, comme moi, et qui préféraient rester au fond de l'église pour pouvoir se sauver plus vite. Il y en avait qui se prenaient dans les bras à deux ou trois, d'autres qui se prenaient dans les bras tout seuls. Moi, j'étais de ceux-là. Son cercueil avec une guitare dessus, tellement loin de moi...

Alors que lui, il est en moi depuis toujours. C'est comme si on nous avait faits ensemble, comme si seulement. Parce qu'elle n'existe que pour moi, cette certitude profonde d'être sa petite sœur. Aussi brillante que des flammes de cierges dans les larmes.

Sauf qu'au départ, il y a bien eu ses parents et les miens pour nous baigner dans les mêmes baignoires, pour nous asseoir dans les mêmes parcs, pour nous endormir sur les mêmes coussins, nous faire boire les mêmes soupes, entendre les mêmes berceuses, nous raconter les mêmes histoires, nous pardonner les mêmes bêtises, nous faire croire aux mêmes rêves. Et alors ? Après on attend quoi ? Parce qu'ils se sont aimés, trop aimés puis déchirés, on aurait dû effacer nos enfances mêlées comme ça ? C'était déjà trop tard.

Ils ont préféré leur douleur d'adultes, leur douleur sérieuse de couples trahis. Mon père et la mère d'Yvan se sont enlacés en secret, jusqu'au jour terrible de la découverte. Puis est venu le cortège des haines et des plaies. Nous, on n'a pas eu de place dans cette histoire. C'étaient les adultes qui souffraient. Nos amours à nous, notre fraternité déchirée, c'étaient juste des dommages collatéraux. Nous avions onze et douze ans. Yvan n'est plus revenu sur les chemins qu'on avait choisis ensemble. Je l'ai attendu, j'ai cru longtemps qu'il reviendrait, mais il n'a jamais pu, peut-être jamais voulu. Il a dû trancher dans sa vie et j'appartenais au passé. Maintenant, je suis devant cette évidence. Il n'y aura plus de retrouvailles. Il n'y aura jamais que cette tombe froide.

Je n'ai pas eu envie d'apprendre à vivre sans lui. Depuis six ans, on se croisait comme des étrangers ou presque... Je n'ai pas essayé de me passer de lui, je n'ai pas su le faire. J'ai vécu en me disant que ça reviendrait, qu'on se retrouverait forcément. D'ailleurs, on ne s'était pas vraiment perdus. Je voulais croire cela, quand je le croisais au tabac, à la gare RER, dans la galerie marchande, devant les cinés avec ou sans fille blottie sous son épaule. Je l'ai vu changer de loin, j'ai vu son corps devenir grand à me faire peur, j'ai vu son visage doux se couvrir de picots, je n'ai plus reconnu ses vêtements, ses chaussures, sa montre, son sac, son blouson. Mais ses yeux restaient les mêmes. Les yeux d'Yvan me disaient depuis six ans, reste à ta place, Claire, n'approche pas. Et moi je pensais, OK, c'est trop tôt, je n'approche pas encore...

Je suis restée à distance comme un bon chien fidèle, je l'ai maudit d'amour. J'avais besoin, moi, qu'il soit encore près de moi, qu'il me protège mal du monde, comme dans l'enfance. Mais je suis restée là où son regard me clouait. J'aurais dû être plus courageuse peut-être, et venir le bousculer.

Je ne pouvais rien en dire, je n'ai pu parler à personne du cataclysme de la perte d'Yvan. Ni quand c'est arrivé, vers mes onze ans, ni plus tard, à Stella, ma Stella sucrée, mon amie trouvée après, au lycée. Même elle ne sait rien d'Yvan, juste qu'il était une connaissance. C'est tout.

Nos vies sont ainsi restées trop longtemps tenues à distance par le jeu des autres, à cause de cette histoire entre mon père et sa mère : les amis devenus amants. Et nous, broyés dans cette trahison, notre amour en baluchon inutile sur le dos, partis sur des chemins séparés sans jamais rien en dire, sans que jamais rien ne nous en soit dit.

Maintenant, il faut admettre cet effondrement : tout ce que je n'ai pas osé faire pendant six ans ne sera plus possible. À cause de la terre jaune qu'on a retournée pour enfouir mon frère dérobé.

Les choses s'arrêtent là. Un accident de moto l'a emporté, sa tête a heurté le sol. À Lacanau, dans ses dix-huit ans, oublieux de moi, Yvan a mis le point final. Et toute mon attente est comme un long fil déroulé, accroché à rien, sans rien pour tirer de l'autre côté, une amarre larguée, flottante et encombrante.

3

Yvan m'attend.

Mes devoirs n'en finissent pas. Ma mère a des exigences que celle d'Yvan n'a pas. Il faut faire et refaire encore la division, la dictée de mots, le schéma du relief montagneux. Et pendant que je dessine les plaines, les collines, les plateaux, les montagnes et les cols, je me représente Yvan dans ces paysages, comme un géant que je dois rejoindre au plus vite. Je pleure de rage, je maudis ma mère.

Yvan m'attend dehors, en bas de l'immeuble. Il tourne sur son vélo, refuse de suivre ses copains, qui lui proposent des tours et des aventures et partent comme des volées de moineaux en le traitant d'amoureux ou de gonzesse. Mais, insensible aux insultes, il attend de longues minutes. Parfois il s'impatiente et siffle. Alors je crie à ma mère :

– Voilà, tu vois ? Il m'attend. Laisse-moi descendre, maintenant !

Elle finit par céder et me laisse m'envoler avec lui vers les chemins en lisière de la ville.

Ces chemins qui nous servaient de terrains d'aventure avant qu'on y bâtisse des lotissements.

4

J'ai essayé, une fois, de reprendre contact. C'était l'année de ma seconde, l'année où j'ai rencontré Stella. Ce jour-là, parce qu'il ne m'a pas saluée, j'ai essayé d'infléchir les trajectoires qui nous écartaient l'un de l'autre. C'était dans la rue, le long du mur du cimetière, justement. On s'est croisés, je l'ai regardé comme toujours, pour mendier ne serait-ce qu'un regard fuyant. Mais, alors que d'habitude nous échangions quand même ces œillades pudiques, cette fois-là il n'a pas levé les yeux. Rien.

J'ai dû m'arrêter de marcher tellement c'était violent. Stella s'est retournée :

– Qu'est-ce que tu fous, Claire, tu viens ?

J'ai raconté que j'avais un point de côté. Mon souffle était court et brûlant. Stella, qui n'avait jamais rien su de lui, s'impatientait. Le prénom d'Yvan, son visage ne lui évoquaient rien. Ça l'a fait rire que j'aie un point de côté. Je me tenais le côté droit, celui le long duquel Yvan était passé sans me reconnaître. Son rire et la légèreté qui allait avec m'étaient insupportables. Je me suis mise en colère contre elle. J'aurais voulu qu'elle devine.

– Oh là là ! Tout ça pour un point de côté, elle a répondu. T'as tes histoires ou quoi ? Bonjour l'humeur !

J'ai dit que je rentrais. Elle n'a pas lutté, elle est partie toute seule au centre commercial.

En arrivant chez moi, j'avais décidé de lui téléphoner. Il avait retiré même son regard, le salaud ! Il était allé trop loin. J'étais essoufflée de rage en composant son numéro. C'est sa mère qui m'a répondu. L'humiliation de lui demander Yvan, après quatre ans de silence sur nos coups de fil quotidiens… Elle n'a pas posé de question, ne m'a pas saluée, m'a vouvoyée. Ne quittez pas…

Et puis il y a eu la voix d'Yvan : ça faisait comme de l'eau sur la soif, de l'entendre me parler à moi. Sa voix avait changé, elle était devenue celle d'un homme. Elle était distante et tendue, toute en protection, mais c'est quand même à moi qu'il parlait.

J'essayais de contrôler mon souffle. J'avais envie de lui dire comme avant, tu viens, on se retrouve au chemin des Hauteurs, j'amène des gâteaux et des bonbecs, tu t'occupes de la grenadine. J'avais envie de lui dire, c'est d'accord, je te la donne la bille jaune, j'avais envie de lui dire que mon vélo avait déraillé et de l'entendre répondre, j'arrive. C'est des trucs comme ça qui me venaient. Mais j'ai regardé mon visage dans le miroir au-dessus du téléphone. C'était celui d'une petite femme maintenant, maquillée, avec un pull bleu sombre, des boucles d'oreilles en argent, des cheveux coupés.

J'ai juste pu dire :

– S'il te plaît, ne m'ignore plus comme tout à l'heure… S'il te plaît, tu comptes trop pour moi…

Il a fait semblant de ne pas comprendre.

– De quoi tu parles ? Ah bon ? Je t'ai croisée ? Excuse-moi, je ne t'ai pas vue. Non, non, Claire, y a pas de problème. Sinon ça va ?

J'ai fait semblant de le croire. Semblant d'être légère, de m'être trompée. Quand on a raccroché, je suis restée longtemps la main crispée sur le combiné. J'avais peur de le casser, tellement je le serrais fort. J'ai attendu que mon souffle se calme. J'ai essayé de pleurer, je ne pouvais pas. J'ai attendu que ça passe.

J'ai pensé au poème d'Éluard qui était encore accroché dans ma chambre mais qui ne me soulageait plus :

La nuit n'est jamais complète
Il y a toujours
Puisque je le dis, puisque je l'affirme,
au bout du chagrin
Une fenêtre ouverte, une fenêtre éclairée

J'ai fermé les yeux pour y croire. Je suis allée dans ma chambre écouter les musiques qu'il n'aimait pas, les musiques commerciales qui le faisaient ricaner. J'ai passé tout le reste de l'après-midi à devenir quelqu'un d'autre, quelqu'un qui serait enfin démêlé de lui.

Après ça, je n'ai plus jamais essayé de forcer ses barrages.

5

Et maintenant, devant cette masse de fleurs et son nuage d'insectes excités, des barrages je n'en sens plus. Je suis enfin seule avec lui et cette petite musique qu'il me joue. J'essaie de la chanter mais ma gorge est tout empêtrée d'eau et de sécrétions, serrée pour endiguer son absence et la distiller doucement pour y survivre. Je ne fais que des bruits. Toi Yvan, si c'était moi qui avais été enterrée ici, serais-tu venu ?

Je m'éloigne de la tombe d'un pas rapide, j'ai encore cette sensation d'être suivie par une caméra, cette certitude que des images de moi existent pour Yvan, à cet instant précis. Dans le cimetière il y a peu de gens, surtout des vieux. Je fais figure d'étrangère. Je suis bêtement fière d'avoir, moi aussi, quelque chose à faire ici. À dix-sept ans, ça se peut qu'un lieu comme celui-là soit le plus important sur la terre.

En face de l'entrée, le long de l'avenue, le magasin funéraire est encore ouvert. Je voudrais des fleurs. Je cherche, il n'y en a pas comme je veux. Je me tourne vers la vendeuse :

– Je voudrais quelque chose à planter.

Elle me montre des plantes qui sentent la mort : des buis, des sapins de trente centimètres qui ne s'appellent pas des sapins.

– Non. Je voudrais des fleurs. Je voudrais des fleurs qu'on puisse butiner.

Elle me regarde, elle essaie de bien faire à cause de mes yeux inondés et rouges. Elle me montre des petites fleurs roses en disant :

– Il y a bien des « impatiences »…

Je regarde de plus près, ça s'écrit des impatiens. C'est bien, ça. Oui, je les prends. Six godets d'impatiens comme six ans sans lui. Je paie et les emporte.

Je reviens près de la tombe, m'accroupis et creuse la terre jaune et caillouteuse avec mes mains. La tombe est juste assez large pour que je serre les petits plans les uns contre les autres. Je pourrais n'en mettre que trois ou quatre, mais je veux que les six tiennent.

J'ai peur qu'ils étouffent.

J'ai peur mais ça me soulage de planter aux pieds d'Yvan mes six ans de patience idiote. Jamais je n'aurais dû accepter les règles du jeu dictées par son regard de lâcheur. Parce que je sais qu'il m'aimait encore. Parce qu'on était emmêlés, voilà. On n'y pouvait rien. Et même le bitume qui lui a mangé la tête quand il est tombé de moto n'a rien brisé entre nous. Sinon, d'où me viendrait cette petite musique entêtante ?

Près du portail du cimetière, caché derrière un mur de parpaings, il y a un robinet d'eau, juste à côté d'un tas de fleurs séchées qui pourrissent, des rubans mauves aux lettrines dorées qui attendent je ne sais quelle autre fin, encore. C'est là que je trouve un arrosoir. Je m'éclabousse en le remplissant.

Tes six ans, Yvan, tes pistolets à eau qui fuyaient tout le temps, qui se vidaient dans tes poches de short et qui me faisaient rire de toi : t'as pissé dans ta culotte ?

Je porte l'arrosoir du bras droit, je claudique comme les vieilles traînant un truc lourd au bout du bras. Je suis une vieille de dix-sept ans, à cause de lui. Je suis une vieille qui arrose des fleurs sur la tombe de son frère de lait. De lait caillé.

J'ai de la boue jaune partout sur mon pantalon noir, sous mes ongles. Il y a trop de cailloux dans cette terre. Je caresse les feuilles de mes impatiens, je les exhorte silencieusement à pousser, à donner toujours des sucs à butiner aux abeilles, pour le son, pour la musique. Il faut du son autour d'Yvan.

Un vieux s'approche. Je me dis qu'il est beau d'être fragile, lui aussi.

– Je peux vous reprendre l'arrosoir ?

J'acquiesce de la tête en le regardant intensément. Je m'accroche à ses yeux, j'ai envie qu'il me prenne dans ses bras. Il a vu les fleurs fraîches, mon âge, la tombe encore sans nom gravé, sans pierre posée. Il va m'aider peut-être. Il doit savoir, lui, par où il faut passer pour revenir de cette douleur. Mais il ne me renvoie rien, il a dû renoncer, lui aussi. Comme Yvan avait renoncé à répondre à mes regards. Il s'éloigne de sa démarche de vieux, aux lombaires bloquées.

Pauvres cons, je murmure pour le type qui s'en va et pour Yvan. Pauvres cons de mecs avec vos mâchoires serrées, vos résignations à en crever. La petite musique s'est arrêtée. Une colère grandit en moi. Depuis six ans, il me regardait comme une étrangère et maintenant je m'imagine qu'il m'envoie des musiques de l'au-delà. L'atmosphère autour de cette tombe a changé. Quand la lumière s'est-elle refroidie ? Quand les insectes sont-ils partis ? Je n'ai plus rien à faire ici, dans ce silence que plus personne n'habite, mais je ne sais pas où aller.

J'entre dans le bar en face du cimetière, je cherche un sas avant de rentrer chez moi. Des gens tristes, on en voit beaucoup ici. On a l'habitude de leur renvoyer un regard réservé quand ils passent la porte. Un café. Une cigarette roulée. Inspirer et expirer. La fumée qui sort de ma bouche m'aide à vérifier que je suis vivante.

On a enterré Yvan hier. Ça ne fait que vingt-quatre heures. Sa moto a dérapé jeudi dernier. Ça ne fait qu'une semaine. Il ne me parlait plus depuis six ans. Il me manquait depuis six ans. Il était déjà absent.

Rien n'a changé. Sauf que.

Cette phrase est une mouche qui me tourne autour. Je la chasse, elle revient, je la dissèque, l'observe, cherche en vain une suite à ces mots. Je me vois d'en haut, mon crâne, mes épaules, ma main suspendue à un mégot. Comme une flaque de moi-même avec de la fumée autour.

6

Les vacances.

Tous les ans, deux semaines entières, nous sommes le couple d'enfants d'une nombreuse famille de parents.

Des locations.

Chaque fois différentes, ces maisons ont toujours trois chambres. L'une d'entre elles nous est réservée. Nous sommes libres d'y édifier des cabanes regorgeant de Pépitos, de gourdes de grenadine tiède, de magazines achetés par trois dans les stations d'autoroute et que nous connaissons par cœur à la fin de l'été.

Parfois, d'autres enfants nous y rejoignent, au hasard des rencontres. À tous, nous racontons que nous sommes frère et sœur. Ils se lassent vite de notre duo étanche et finissent par ne plus revenir. Quand cela arrive, nous remarquons à peine leur démission.

Le plus triste de ces étés fut le dernier, en Dordogne. Celui où creva la bulle des amours clandestines de Solange, sa mère, et de Thierry, mon père. La tristesse avait tout envahi cet été-là, elle avait même trouvé le chemin de notre cabane. Terrassés par quelque chose qu'on nous cachait mais que nous sentions irrémédiable, nous n'arrivions plus à nous inventer aucune histoire. C'est cet été-là que le regard d'Yvan a commencé à devenir triste, puis lointain.

En septembre, Yvan entrerait en sixième et ce serait pour lui l'occasion de tirer un trait définitif sur notre fraternité. Je n'en savais rien encore et faisais des mines, cet été-là, avec un paréo bleu offert par Serge, le père d'Yvan, sur un marché de Sarlat.

7

– On t'a gardé des lasagnes, Claire. Elles sont au micro-ondes.

C'est ça que je ne voulais pas retrouver, pour ça que je ne voulais pas rentrer chez moi : à cause de ce putain de ton détaché des autres, de ceux qui ont cru qu'on pouvait nous démêler ! Nos parents. Mon père : Thierry. Ma mère : Alice.

Mes parents n'ont plus ces mines chargées qu'ils avaient hier à l'église. Ils sont soulagés : c'est passé. Ce moment difficile de l'enterrement est passé. Pour le reste, c'est de la tristesse à écluser.

Ma mère me regarde, étonnée :

– Ça va ?

Je ne réponds pas. Je ne dis pas si ça va. Ce sont des mots qui n'ont pas de sens, maintenant. Ce sont des mots qui, rien qu'à être prononcés, sont indécents. Et justement, ils sont prononcés.

Pour l'instant, mettre une assiette et des couverts sur la table, me servir un verre d'eau, c'est une raison d'être là. Je cherche en vain dans quel livre j'ai lu qu'il fallait découper le désespoir en tout petits morceaux. Comme la viande qu'Yvan n'arrivait pas à mâcher et que ma mère lui découpait en poussières. Le désespoir aussi on peut en faire des poussières si on le découpe encore et encore. Et peut-être même qu'on peut l'avaler. C'était dans ce livre, un gros livre. Je n'arrive pas à en retrouver le titre, à cause de Thierry, mon père, qui fait du bruit.

– Tu vas voir, les lasagnes, elles sont super aujourd'hui. Je suis content de moi.

Être là aussi pour poser un verre près de l'assiette, y verser de l'eau. La boire tout doucement. Dire ah oui ? à mon père, content que je lui réponde. Il pense qu'il m'a entraînée loin des pentes glissantes et sourit d'une façon humble et écœurante.

– Tu vas voir, elles sont vraiment bonnes.

– Tu es content de toi ?

Il voit dans mes yeux ces choses dangereuses qu'il ne veut pas évoquer. Je le regarde en face maintenant.

– Tu es content de toi ?

Je répète la question plus fort. Il est pris au piège. Il essaie de rester aux commandes :

– Écoute-moi...

Il va me dire que ça n'est pas la peine de remuer le passé, il va me dire que je comprendrai quand ça m'arrivera un jour, il va me dire tout ce qu'il m'a dit une ou deux fois et qui est vide de sens pour moi.

Je l'écoute, puisqu'il me le demande. Je l'écoute de toutes mes forces. J'ai besoin d'écouter quelqu'un qui me parle. C'est précisément ce dont j'ai le plus besoin. Mais il se tait et je dois lui rappeler que je suis là :

– Oui, je t'écoute, papa.

Il me dit qu'il comprend que je sois triste. Il me dit que je ne dois pas lui en vouloir. Il me dit des choses imprécises, il tourne autour du plat à lasagnes. Il prononce des mots sans parler. Il ne dit rien.

Je lui demande d'être plus précis :

– Qu'est-ce que tu veux me dire ? Sois courageux !

Je parle plus fort, ça le met en colère.

– Mais quoi à la fin ? Quoi ? il crie.

Ma mère, qui s'était éloignée, revient au seuil de la cuisine, effrayée elle aussi.

– Combien de temps je vais payer ? il demande. Est-ce que j'y suis pour quelque chose si ce pauvre gamin s'est tué en moto ? Tu me regardes comme si j'étais un criminel, Claire. Qu'est-ce que j'ai fait ? Qu'est-ce que j'ai fait au bon Dieu, bordel !

– Au bon Dieu, tu ne lui as rien fait, je réponds calmement. C'est à nous que tu as fait quelque chose.

– À qui, nous ? Cette histoire ne te concerne pas. C'est une histoire d'adultes, tu étais enfant. Ce sont des choses qui arrivent. Des choses d'adultes, des choses graves. C'est ta mère qui a le plus souffert ! Toi aussi, bien sûr. Mais maintenant, c'est du passé.

– Sauf qu'Yvan est mort. Et ça, c'est du présent pour toujours, je lui dis.

Il continue de se défendre. Il me dit qu'il n'y est pour rien. Il a raison. La mort d'Yvan, il n'y est pour rien, mais peut-être que les six ans d'avant c'est lui qui nous les a volés, avec ses histoires de fesses.

– Tu ne peux pas dire ça. Solange et moi, c'était une histoire d'amour. Ça nous est tombé dessus comme ça. On a résisté comme on a pu. Ta mère aussi, je l'aimais. J'aimais Alice et Solange, voilà. Tu verras, peut-être qu'un jour tu aimeras deux hommes à la fois. Je ne te le souhaite pas, mais si ça t'arrive, tu repenseras à moi. C'est la seule façon pour que tu comprennes un jour.

Il pose l'assiette de lasagnes chaudes devant moi et dit avec douceur :

– Allez, mange, ma chérie.

C'est comme s'il me bâillonnait. Je pousse l'assiette jusqu'au bord de la table et l'entends qui se brise par terre. Dans le même instant je sens ma mère contenir un sursaut. Je ne dis plus rien. Mon père non plus.

Mes tempes font le même son que faisait la basse entre les mains d'Yvan. C'est un rythme puissant, une force que rien n'empêche. Alice aimerait intervenir mais elle ne le fera pas. Elle n'en finit pas de se réjouir de voir mon père s'empêtrer dans son histoire avec Solange. La mère d'Yvan. Leur amie de toujours. Pas une histoire de fesses ? Une histoire de quoi, alors ?

Ma mère s'approche pour ramasser les bouts d'assiette mélangés aux lasagnes, qui sont comme des lambeaux de peau sanguinolente. Mon père l'aide à nettoyer. Je les regarde tous les deux, courbés sur les morceaux à ramasser, épaule contre épaule. Ils sont passés par cette histoire et ils sont toujours ensemble. Tout petits, tout recroquevillés autour de débris.

– T'as eu le courage de rien ! je lui dis. Ni de quitter ta femme, ni d'aimer une des deux absolument. T'as bousillé maman, t'as bousillé Solange, t'as bousillé Serge.

J'ai envie de dire qu'il m'a abîmée, moi aussi, qu'il a fait du mal à Yvan. Mais ça m'est impossible de nous mêler à ça.

– Et après t'es revenu comme si de rien n'était. T'as vu le champ de ruine que t'as laissé avec ton histoire d'amour ?

Je dis «histoire d'amour» en grimaçant. Comme si je parlais d'un mauvais film.

– C'est rien d'autre qu'un navet, votre histoire. Vous êtes minables.

Il ne proteste plus, se lave les mains. Il ne parlera plus, aujourd'hui. Je me roule une cigarette, l'allume. Ma mère prend le relais.

– Je te fais un café, Claire.

Elle veut m'apaiser, elle veut me mettre quelque chose dans la bouche pour repousser les mots. Je murmure en chassant la fumée et les larmes de moi, je murmure avec le goût mêlé des deux qui pique mon palais. Je trouve encore un peu de force et murmure sans regarder mon père :

– C'est toi qui m'as privé d'Yvan.

Il me regarde froidement. Il secoue la tête. Et ma mère m'achève en s'asseyant près de moi, avec sa tasse de café, elle pose sa main sur mon avant-bras :

– Le temps passera, ma chérie, tu verras, le temps passera.

Je ne voudrais pas qu'il passe, le temps, je voudrais revenir là-bas, devant les fleurs coupées avec la musique dans ma tête, avec mes mains qui plantent des impatiens dans sa terre jaune et le vrombissement des abeilles.

Je secoue la tête, j'écarte mon bras. Sa main tombe sur la table. Alice se fâche, je sais que je lui fais mal. En haussant le ton elle me demande d'être lucide.

– C'était qui pour toi ? C'était devenu presque un étranger, enfin ! Il faut que tu réagisses, ce garçon n'était plus rien pour toi.

Je me fige en dedans. Elle a dit « ce garçon » pour parler d'Yvan. L'enfant qu'elle a langé, baigné, veillé, bercé comme le sien, celui dont elle avait fait mon frère de lait, alors que je n'avais rien demandé. Aujourd'hui, cette chair est morte, décrochée d'elle. C'est un étranger, c'est devenu un adjectif démonstratif. Ce garçon.

Je ne lutte plus. Je bois le café sucré puis je vais regarder le soleil se coucher sur le balcon. Le ciel est rose et orange. Mes bras tombent lourdement le long de mon corps, je n'ai besoin d'aucun mouvement. J'attends que le ciel s'éteigne puis je vais me coucher. Parce qu'il n'y a plus que le sommeil à vivre.

8

J'ai rêvé du visage d'Yvan, comme un ciel au-dessus de moi, un ciel qui m'aurait regardée avec bonté. Il y avait beaucoup de couleurs. Et son regard à lui, pas ses yeux mais leur lumière, sans que je ne puisse vraiment distinguer les traits de son visage. Un truc de fou. Yvan, venu me dire au revoir, comme une dernière visite. Ce rêve est un moment de bonheur avec lui. C'est un moment évident. C'est comme si l'amour d'Yvan m'enveloppait comme une brume, m'entourant de chaleur. C'est un instant où il n'est plus question de la mort. Et pourtant la fin du rêve est un adieu, une tristesse résignée m'alourdit pendant qu'Yvan s'efface. Nos places assignées : moi chez les vivants, lui chez les morts.

Au matin, je ne raconte rien à mes parents. J'ai faim. Je déjeune en silence avec la force qui me reste du rêve, et puis je pars au lycée, c'est tout.

Mais les images de la nuit se défont de mon souvenir comme du papier fin dans de l'eau. J'essaie de ne rien en perdre, pourtant il se délite de plus en plus.

En philo, on parle de la vérité. C'est quoi la vérité ? Alors je lève la main et je dis qu'un rêve peut être plus vrai que toute autre réalité. Le prof fait hum hum, comme s'il comprenait. Les autres ne disent rien et leurs regards m'enfoncent dans la solitude... En sortant de la classe, je passe devant le bureau du prof.

– Alors Claire, ça va, tes rêves ?

Il rigole. Pour cette phrase, je serais capable de le tuer.

La journée se déroule avec des images du self, du trottoir devant le lycée, du rabat brodé de mon sac, de ma bague tordue, des ongles rongés de Stella, du briquet glissé dans le paquet de tabac, des graviers de l'allée grattés avec ma chaussure en discutant avec Noé ou Sden. Juste des images. Sans vie dedans. Des images qui ne me parviennent pas vraiment. Aucune caméra autour de moi qui m'observerait pour renseigner Yvan. Une coupure totale. Mais toujours le manque.

9

Dans le petit bois aux trèfles, Yvan sort un couteau suisse de sa poche.

– Où tu l'as eu ?

– C'est mon oncle qui me l'a rapporté de Suisse. C'est un vrai.

Yvan déploie une à une toutes les options du couteau. Il m'explique à quoi sert la petite lame recourbée, la vrille métallique, trouve la loupe ou la lime à ongles. Quand il ne sait pas répondre à mes questions, il ne le dit jamais. Il fait semblant d'être concentré sur autre chose parce qu'il ne veut pas m'avouer qu'il ne sait pas. Je tolère ces petites trahisons, ça m'arrange. Je n'ai pas envie qu'il me réponde, je sais pas. On sort toutes les lames du couteau. Souvent c'est moi qui peux extraire les petites parties métalliques, parce qu'Yvan a les ongles rongés et pas moi.

On essaie les ciseaux sur les feuilles du noisetier, on enfonce la vrille dans un tronc d'arbre mort. On s'amuse à planter la lame dans un tronc d'arbre vivant. Yvan m'apprend à lancer le couteau avec force pour qu'il se plante net. Je n'y arrive pas. C'est comme de lancer les cailloux. Je ne sais pas le faire comme lui : il a ce petit mouvement de poignet avant de lâcher la pierre, ce petit mouvement qui le rend si beau.

Et puis à la fin, il commence à graver le tronc. Il fait d'abord un Y et puis il me passe le couteau et je fais un C carré. Et je lui rends le couteau. Alors il fait un + entre les deux et juste en dessous un =. Je le frappe violemment à l'épaule, je suis paniquée par ce qu'il est en train de faire :

– Arrête, Yvan !

Il rit, je hurle. Il ne faut pas qu'il continue de graver nos noms sur le tronc. Il ne faut pas qu'il grave à quoi équivalent Y + C, parce que nous-mêmes, on ne le sait pas et que tout ce qu'il pourra graver en dessous nous écorchera. Il le sait, mais il joue avec le feu. Il se moque de mes protestations, je le déteste. Finalement il ne marque rien. Nous repartons épuisés comme les gens qui viennent d'échapper à un grand danger. J'ai le sentiment d'avoir sauvé quelque chose. Yvan est un peu gêné, il se confond en petits gestes gentils, en petites phrases pour combler le silence qui nous siffle aux oreilles pendant tout le trajet du retour. Je suis fière de moi, de ma force. Mais devant chez lui, avant de repartir, je ne résiste plus et je lui demande :

– T'aurais gravé quoi de toute façon à la fin ?

– AE comme « abrutis éternels » !

Il rit et s'en va sans me dire au revoir. Je repars en pleurant.

10

Elle passe sur le trottoir. C'est quelques jours après l'enterrement. Je la reconnais de loin et je demande à Stella de m'attendre. Je vais vers Solange. Elle a vieilli, une ride lui dessine comme une balafre, de l'œil au menton. Je l'embrasse, dis bonjour. Je ne demande pas comment ça va, et elle non plus. Elle me frotte l'avant-bras avec douceur et me regarde dans les yeux. Elle me dit :

– On va vider la chambre d'Yvan cette semaine, Serge revient pour ça. Vous avez grandi ensemble, après tout. Il y a peut-être des souvenirs que tu voudrais garder. Enfin… je te dis ça, mais ne te sens obligée de rien. Si tu veux garder quelque chose, dis-le-moi, je verrai ce que je peux faire.

Je la remercie, j'aimerais lui parler des fleurs plantées au cimetière, mais je n'y arrive pas. Les a-t-elle vues ? S'est-elle demandé qui avait... ? Je voudrais solliciter cinq minutes seule dans la chambre d'Yvan avant qu'on ne démonte le décor, mais je n'ose pas. Alors que j'en ai envie et qu'elle me le propose, je dis juste :

– Je vais réfléchir, je te dirai. Merci, merci en tout cas d'y penser.

Ça, je peux le dire. J'ai envie de lui parler du rêve, de la discussion avec mon père, de ce que je lui ai reproché, j'ai envie qu'elle me prenne dans ses bras, ou de la prendre contre moi. Je ne peux rien faire. Je la salue juste et je retourne le plus lentement possible vers Stella.

– C'est qui ? elle demande.

– Une amie de mes parents.

– La mère du jeune qui est mort en moto ?

– Oui, c'est elle.

– Ah OK. Ça doit être dur, la pauvre ! Et le père, il est là ? Il est où ?

– Parti. Séparés.

– Putain, en plus ! Elle est toute seule alors ?

– Oui. Elle est toute seule.

– Je sais pas comment elle tient, dit Stella en regardant la silhouette de Solange qui s'éloigne.

– Elle ne tient pas, je crois. J'en suis même sûre, elle ne peut pas tenir le coup.

– Tu la connais bien ?

– Maintenant, oui, j'ai l'impression de mieux la connaître.

L'image écœurante de mon père, ramassant ses lasagnes, accroupi aux côtés de ma mère, vient se superposer à celle de Solange, marchant seule dans la rue, et puis je l'efface. Je sens la petite caméra se rallumer, comme si Yvan revenait au contact. Je souris à Stella.

– Qu'est-ce qu'on fait ? elle dit.

– Je vais aller bosser, je réponds.

– Ouais t'as raison, tu veux venir bosser à la maison ?

– Non, je vais m'y mettre seule, j'ai peur qu'on se disperse trop.

– Comme tu veux, à demain alors ?

– À demain.

11

Je rentre à pied, je marche une heure. Je ne prends pas le RER, j'ai peur que la présence d'Yvan s'efface, que la caméra s'éteigne. Si je pouvais être sûre de partager mes jours entre cette présence d'Yvan en moi et le sommeil, j'aurais le courage d'affronter l'avenir. En rentrant, je m'assoupis. Je ne révise pas l'interro d'anglais. Je ne rêve pas de lui.

Il est plus de vingt heures quand je me réveille. Mes parents regardent les infos, hypnotisés par la tête bizarre du présentateur, qui reste la même quoi qu'il annonce. Mon réveil est lourd et poisseux. J'ai dormi trop longtemps. Une assiette m'attend dans le micro-ondes. Un reste de pizza molle que j'engloutis sans faim dans la cuisine, porte fermée pour ne pas entendre la télé.

Le journaliste star qui dit, tout est normal, vous allez bien, ailleurs ça va mal, mais pour vous ça baigne, regardez ce désastre qu'il y a partout, avec les attentats et la sécheresse et les pays qui se cassent la figure les uns après les autres en Afrique ou au Moyen-Orient. Mais vous, vous allez bien : vous tenez la télécommande assis sur votre canapé.

Insupportable. Il aurait fallu que les choses changent définitivement après la mort d'Yvan, mais leur permanence…

Me revient ce jour de l'année de CM1. On était dans ma chambre, Yvan était déchaîné et me faisait rire, à en avoir mal au ventre. Il s'est mis à chanter en jouant du bongo. Il disait n'importe quoi avec ses grimaces de caoutchouc. J'étais la groupie de son spectacle. Il s'est mis à chanter des mots comme « je veux rentrer chez moi ». Je ne sais plus comment c'est venu, cet air, avec ces mots. Peut-être qu'il était l'heure qu'il rentre, que Solange et Serge l'attendaient, peut-être qu'il n'avait pas envie de partir, que je voulais qu'il reste. J'ai pris ma lampe torche que je lui ai tenue comme un micro. Et puis j'ai dit :

– Attends, attends !

J'ai attrapé une vieille cassette, je l'ai glissée dans mon poste, j'ai enclenché le bouton « rec » et j'ai donné le top départ. Il a pris son temps et il a commencé comme une star, une caricature de star, mais avec le vrai talent de ses mains qui rythmaient la chanson. Sa voix, ses yeux fermés pour ne pas lâcher le rythme. Après, il a chanté en engliche, comme on disait, il a dit *I wante home back* ou un truc tordu comme ça, une phrase d'anglais bancal. On avait quoi ? Neuf ? Dix ans ?

On a aussitôt écouté la cassette, il a continué le délire, il a fait des chœurs par-dessus, j'ai râlé parce que je ne pouvais pas l'enregistrer en train de faire les chœurs et que c'était dommage. On entendait mon rire sur la cassette. Il a mis des lunettes noires et il s'est mis debout pour saluer la foule. Il a lancé un baiser avec sa main et moi j'étais sa groupie, sa foule en délire et son impresario. Personne ne m'a fait rire comme lui. Me faire rire, c'était sa tendresse à lui.

Cette cassette, où est-elle ? Je vais dans ma chambre, j'ouvre la boîte de métal rouge, celle où restent endormies les vieilles bandes-son de l'enfance. Sur quoi avait-on fait l'enregistrement ? Les comptines d'autrefois ? Henri Dès ? Vincent Malone ? C'était un truc dans ce genre-là. Henri Dès, je crois. Je sors les cassettes une à une. Entendre sa voix tout de suite est devenu un impératif, je retrouve le boîtier où il a apposé un autographe : il est vide. Alors une à une je glisse toutes les cassettes dans mon poste, face A et face B. J'explore tout, j'entends les musiques d'avant. Je ne retrouve rien. Il est deux heures du matin quand je renonce. Je voulais sa voix et aussi mon rire derrière, c'était la même musique, le même bonheur. Je voulais le son des deux à la fois.

Je repense à la proposition de sa mère : garder quelque chose de lui. Il est trop tard pour l'appeler, mais je décide que c'est oui. Oui pour un t-shirt, quelque chose où je me blottirais pour faire comme si.

Juste avant que les choses ne se brisent, les dernières années, quand il était devenu difficile de jouer parce que l'enfance nous abandonnait, et impossible de parler à cause des histoires entre nos parents, du départ de Serge, de la dépression d'Alice ma mère, Yvan m'a donné les dernières images. Ses premières années de collège, juste après le sinistre été en Dordogne. Ces années où tout s'est défait.

Pour ne pas parler quand on se voyait, il faisait de la musique. Yvan frappant sur une percussion, Yvan à la guitare, Yvan à la basse ou debout au piano. Lui et ses mains incroyablement musclées, aux phalanges autonomes. Il pouvait parler en jouant, rire et faire rire en jouant.

Sauf à la basse. À la basse, il était un prince grave et déjà vieux, même à douze ans. Après, j'ai su que son père avait récupéré sa basse en partant.

J'aurais dû être là quand ça s'est produit. Quand on lui a repris la basse, quand sa mère a troqué le piano contre un orgue électronique, qu'il ne lui restait plus qu'un vieux djembé fendu. Même si je n'y connaissais rien, j'aurais dû être là pour lui donner envie de me faire rire, lui proposer une chance d'en sortir la tête haute.

Parce que moi je le savais, ce que ça pouvait lui faire qu'on lui enlève à la fois son père et les instruments. Peut-être que leurs histoires de fesses il s'en fichait pas mal, mais les conséquences sur sa vie, sur les endroits où il posait ses mains, sur les rythmes qui ne pouvaient plus sortir de lui comme avant, ça c'étaient des choses très graves qu'on lui faisait et qu'il a traversées seul.

Moi, j'écoutais ma mère qui me disait, c'est mieux de ne pas aller chez Yvan en ce moment. Ma mère qui m'enfermait dans ses envies à elle de tout couper, dans sa souffrance à elle. Et je me suis laissé enfermer. Alors qu'Yvan ne m'avait pas trahie, rien du tout. Me faisant rire jusqu'au bout, mon chevalier servant, mon héros de récré jusqu'au bout, mon alter ego des chemins creux, jusqu'au bout. J'ai obéi aux peurs de ma mère. Je suis restée à distance, comme si j'avais quelque chose à voir dans cette histoire. J'ai choisi mon camp. J'ai été lâche. Je t'ai lâché, Yvan.

Est-ce qu'il m'en a voulu de ne pas être là ? Est-ce que c'est pour ça qu'il a persisté à mettre des barrières dans ses regards, à ne pas me répondre au téléphone ? À cause de ces moments que j'ai ratés alors que lui avait toujours été là pour me tirer par la lanière du cartable en me faisant hurler de rire ?

Allongée sur mon lit, cette idée devient une grande spirale enroulée autour de moi. Je parle à Yvan, je murmure des mots. Pour que personne ne m'entende, je les étouffe dans mon oreiller. Je demande pardon à Yvan, je dis ce que j'aurais dû dire avant, depuis longtemps. Je lui parle une dernière fois, parce que je n'ai plus que ces questions sans réponse.

Qu'est-ce que je t'ai rendu, Yvan ?

Qu'est-ce que je t'ai rendu de tes grimaces qui me sauvaient du vide ?

De nos virées déhanchées au-dessus de nos vélos ?

De ces matins où c'est toi qui faisais se lever le soleil sous le préau ?

Qu'est-ce que je t'ai rendu ?

De tes gestes de chevalier, de tous tes courages, de ta délicatesse ?

De tes petits bras forts qui me faisaient la courte échelle ?

De notre enfance répandue dans un silence plus grand que nous ?

Je veux voir encore tes ongles noirs raccrocher la chaîne de mon vélo retourné. Je veux encore nos chaussures crottées éraflant les troncs d'arbres pour y grimper. Je veux nos genoux tremblants sur des branches vaillantes, nos dents sales, nos sueurs de rhubarbe chaude.

Tu étais seul et brûlé, même avant Thierry et Solange. Qui d'autre que moi l'a su ? J'ai besoin de quelqu'un qui l'ait su, pour t'honorer, j'en ai besoin.

Je ressasse, roule mon corps dans le manque, dans le deuil, je m'y adonne, je parle sans souci d'être entendue, je tourne toute la nuit ces idées, ces mots, pour les forcer, pour élimer un peu les lames qui me coupent. J'essaie d'user la douleur, de l'épuiser en la laissant tout envahir.

Et puis le sommeil finit par venir à l'aube, me prenant habillée et blottie contre un coussin. Avant de m'endormir, j'aperçois le ciel déjà rose sur l'horizon. La menace du jour. Pour la première fois je m'endors sachant qu'il ne sera plus jamais là. Et alors que je voulais me libérer, je descends encore un peu plus dans le gouffre intime qui s'est ouvert en moi.

12

Un nouvel an.

Serge et Solange viennent de s'apercevoir qu'Yvan a un don pour les percussions. Ils en parlent à tout le monde. Mes parents, Thierry et Alice, sont au courant depuis la première heure. Il doit avoir huit ou neuf ans. Les adultes prennent l'apéro. Yvan et moi, on prépare notre soirée. Chacun prépare pour l'autre un jeu de piste. Objectif : trouver son trésor caché avant minuit. On donnera le top départ à onze heures précises.

Serge appelle Yvan, il insiste. Il veut une démonstration de djembé pour tout le monde. Tout de suite. Yvan s'en fout. Il refuse, il s'énerve contre son père. Il veut peaufiner ses indices. Tous les adultes l'appellent, à sa place je serais fière.

– T'y vas pas ? je lui dis.

– Nan, j'ai pas fini !

– Ça fait rien, tu peux finir après.

– Nan, j'te dis. Tu veux que j'te rate ton jeu de piste ou quoi ?

Il a les sourcils froncés, concentré sur le jeu qu'il prépare pour moi. Sur l'indice numéro sept que je suis en train d'écrire, je rajoute un cœur. Il sera gêné mais je ne serai pas là quand il le trouvera. Personne ne verra rien.

Il fait sa démonstration de djembé après la chasse au trésor, droit comme un i, avec autour du cou le talisman en pâte Fimo que je lui ai préparé en secret et qui était le trésor à trouver. À plus d'une heure du matin, Yvan est un seigneur des percussions.

13

Quand je me présente au téléphone, j'ai l'impression qu'elle ne se souvient plus de qui je suis. Il y a de grands pans de silence, je ne sais pas quoi en faire. Je dis à Solange :

– C'est pour la chambre d'Yvan, pour ta proposition de l'autre jour. Je veux bien venir si c'est pas trop tard.

Je devrais dire les choses autrement, pour qu'elle sente que c'est important. Alors que là… avec ma voix toute mangée dans ma poitrine, mes mots qui sortent de travers comme si je me faisais dessus… Qu'est-ce qu'elle peut comprendre, Solange ?

– Viens quand tu veux, Claire.

– Maintenant, c'est possible ?

Elle dit :

– Viens.

C'est comme ça que j'ai envie qu'on me parle. Avec des mots précis, fiables, des mots sans séduction. Je marche jusque chez elle. Mon souffle est court. Plusieurs fois je dois m'arrêter pour vérifier que ma respiration ne va pas s'interrompre. Comme si j'avais une fuite dans la trachée et que l'air n'arrivait pas jusqu'à mes poumons.

Je traverse le marché, je sais bien que c'est là que tout le monde s'est raconté l'histoire de mon père qui s'est tapé la meilleure amie de sa femme. Je sais bien qu'on a tout vendu de nous sur les étals aux poissons, devant le fromager, dans la file d'attente du traiteur. Les ménagères ont traîné notre vie aux roulettes de leurs caddies, comme des restes d'emballages boueux. Ils ont parlé de ça : les histoires de cul qui offusquent et fascinent tout le monde.

Mais personne n'a dit qu'à sept ans, on était les rois du cracher de noyaux de cerises, Yvan et moi. Ils n'ont pas dit non plus qu'on mangeait les

Carambar par trois et qu'on se récitait nos poésies avec ça dans la bouche en bavant partout.

Ils n'ont pas pu parler de ce jour où on s'est endormis ensemble dans le petit bois aux trèfles, parce que personne ne l'a su. Personne n'a su non plus que lorsqu'on s'est réveillés, on n'avait peur de rien.

Ils ont juste dit des trucs sur mon père et la mère d'Yvan, les fautifs. Sur ma mère et Serge, les cocus, parce que c'est le nom qu'ils donnent à ça.

Personne n'a rien dit d'Yvan et moi, ni au marché, ni dans le secret de nos maisons endolories. Même nous, on n'a rien dit de ce qui nous arrivait. On l'a pris de plein fouet mais on n'en a jamais parlé. Parce que je me sentais coupable de ce qu'avait fait mon père. Ce qu'Yvan a pensé de sa mère, je ne l'ai jamais su…

La peinture de la petite grille devant chez lui est écaillée. Sous le vert bouteille on commence à voir un peu de rouille. Les dalles qui mènent à la porte d'entrée sont déchaussées, tordues : des pissenlits poussent en dessous.

Les arbustes ont grossi dans des formes laides, l'herbe est rare et mouillée. La porte est toujours en bois verni avec une poignée de métal noir. À gauche, il y a la fenêtre des toilettes, entrouverte. Quelqu'un pense encore à aérer les toilettes dans cette maison. À droite, la fenêtre de la cuisine, celle d'où il me guettait souvent, le manteau déjà enfilé, des biscuits enfoncés dans ses poches, émiettés et ramollis. L'auvent, plus loin, où il jetait son vélo vert.

Je suis dans une photo en noir et blanc. La vie n'est plus dans les choses, sans doute que tout est mort avec lui. Aujourd'hui je sonne à la porte, mais longtemps je suis entrée sans frapper, à la volée, décoiffée et essoufflée en appelant Yvan de cette façon qu'on a d'appeler quand on est sûr que quelqu'un vous répondra.

Solange s'est maquillée. Elle force un sourire.

– Comme tu es pâle, Claire. Entre.

Elle referme la porte, s'avance vers moi et me prend dans ses bras. Je pose ma joue contre son épaule, nous faisons la même taille, maintenant. Elle dit qu'elle va faire du thé. Que je peux aller là-haut, que je peux prendre tout mon temps, elle dit qu'elle me laisse, que c'est mieux comme ça.

Avant de monter, j'ai besoin de lui dire qu'il me manque. Elle a un drôle de petit rire qui m'humilie. Comme si elle déniait ma douleur du haut de la sienne. J'encaisse ce coup sans réagir.

Je monte les marches, la rampe sous ma main. Un jour, Yvan avait étalé du miel sur la rampe avant de me la faire descendre en glissade. J'en avais plein les fesses. Je lui avais fait la tête pendant deux jours. Je le revois tordu de rire, effondré sur les marches, j'étais partie en disant que je ne reviendrai jamais plus. En pédalant jusque chez moi, j'avais pleuré de rage. Comme d'habitude, il avait fini par me récupérer par le rire, à la grimace, sous le préau. C'était l'hiver où je m'étais cassé le pied. L'hiver où il avait porté mon cartable tous les jours.

J'ai peur avant d'entrer dans la chambre. La porte est fermée, je l'ouvre en plissant les yeux pour m'interdire d'attendre qu'il soit derrière. Quand je rouvre les yeux, je ne reconnais pas la pièce. Ça ne me fait rien de me retrouver là. La première chose que je fais, c'est d'aller à la fenêtre, je reconnais la vue sur l'arrière du Champion avec l'arrêt de bus. Aujourd'hui il y a une pub placardée pour un nouveau parfum de fille.

Au-dessus de son bureau, il y a une photo de lui avec deux types et une fille. Il y en a un que je reconnais : je crois qu'il s'appelle Christophe, Yvan était tout le temps avec lui ces dernières années. Je ne lui ai jamais parlé. Il est blond avec des dreads et des lunettes. La photo a été prise au flash, la fille a les yeux rouges, Yvan a la bouche tordue sur une cigarette. L'autre gars tient la fille par les épaules. Yvan les regarde.

Christophe est immobile avec un sourire calme.

Je m'assieds sur son lit qui est fait, comme s'il allait rentrer ce soir. Mes mains se posent sur la housse de couette. Je n'ose pas m'allonger pour traquer une odeur de lui. S'il entrait maintenant, il dirait, qu'est-ce que tu fous là, avec de l'agacement.

Je regarde ses livres sur les étagères. Je cherche le plus usé : c'est *Zorba le Grec*. Peut-être qu'il l'a beaucoup lu. Je le prends contre moi. Et puis sur son bureau, il y a un trombone tordu, une feuille griffonnée où il a dessiné un visage. Je prends les deux. Je cherche encore. J'ouvre un placard : ses fringues. Des sweats immenses, des jeans, des survêts, des pulls, des slips, des chaussettes. Tout est là. Il y a beaucoup de vert. Je choisis un pull à col V.

Je referme, je reconnais le geste qu'il faut faire pour fermer ce placard. Pousser d'un coup sec et donner un tour de clef. On le faisait parfois, après avoir remisé le Monopoly ou fourré des vêtements chiffonnés que Solange le sommait de ranger.

Je n'ai plus rien à faire là. C'est la chambre d'un inconnu. Je fais demi-tour pour sortir, quand je vois près de la porte, accrochée au mur, une guitare basse et un ampli sur le sol. Un sourire me vient. Il n'avait pas arrêté la musique, il a eu une autre basse, il a continué. Il est resté fidèle à ce qu'il était.

Je décroche la guitare, passe la lanière autour de moi. Je suis trop petite, elle m'arrive presque aux genoux. Je cherche la position de la main, comme il faisait, lui. Le poignet cassé, la main tordue en éventail pour prendre les cordes par en dessous. C'est là que je le retrouve juste un peu : tenir sa guitare et chercher une petite musique de nous.

Je frotte mes lèvres doucement sur les quatre cordes avant de raccrocher l'instrument. Je sors. Je ne verrai plus jamais cette chambre. J'ai dans les mains un livre, un pull, un trombone tordu et un dessin.

14

Solange m'attend dans le salon éteint, deux bols de thé sont posés sur la table basse entre des vieux Télérama et une pub d'assurances. Les dessins qu'on a faits sur cette table, agenouillés par terre, à se disputer le feutre rouge... Elle regarde mes mains. Je pose tout sur le canapé devant elle.

– Je voudrais emporter ça, si c'est possible.

Je ne lui confie pas que je n'ai rien reconnu d'avant. Elle dit que je suis la première de ses copains à venir dans sa chambre. Je lui demande si d'autres viendront.

– Peut-être...

– Je ne me sens pas comme une copine pour Yvan, je suis sa petite sœur depuis toujours.

Elle a encore ce rire et ça m'énerve.

– Quoi ? je lui demande, pourquoi tu ris ?

– Ne te fâche pas. Yvan n'avait ni frère ni sœur. Je suis bien placée pour le savoir.

– Tu ne peux pas comprendre, je réponds un peu trop fort.

– Toi non plus, elle me dit doucement, en baissant les yeux.

Après, on ne parle plus. J'ai envie de savoir pour la musique. S'il en faisait beaucoup, souvent, ce qu'il jouait, ce qu'il écoutait. Mais le silence est tellement épais qu'on ne peut pas y mettre de mots. Je bois mon thé en regardant longtemps le bord du tapis dont les franges sont retournées. J'ai envie de me lever pour les remettre droites, bien à plat. J'ai envie d'allumer la lumière, de mettre de la musique, de parler d'autre chose que d'Yvan pour me rapprocher de lui. Mais Solange est une Gorgone qui m'a regardée dans les yeux.

Qu'est-ce que j'attendais en venant ici ? L'enveloppement, la douceur qui fut celle de Solange ces soirées d'enfance où je venais dormir ? Sa froideur d'aujourd'hui me terrifie. Mon égoïsme aussi. Elle a perdu un fils et je voulais qu'elle me réconforte. On m'a pris un frère et elle voulait que je la plaigne. Nous sommes comme deux aimants chargés de la même force. Ce magnétisme qui nous éloigne l'une de l'autre quoi qu'on dise, quoi qu'on fasse, et qui pourrait, si cela durait, se transformer en colère, peut-être en haine…

Je dis que je vais y aller en reposant mon bol. J'ai envie de demander, tu penses qu'il me détestait ? Ou bien, est-ce qu'il te parlait de moi, parfois ? J'ai envie de savoir s'il y a dans cette maison un vieux carton avec des affaires d'enfant : des boîtes de jeux de société déchirées aux angles, des cartes à jouer dépareillées, des objets en pâte à sel, des vieux magazines griffonnés, des rollers qui puent, des dessins maculés de chocolat, des billes, des bottes de caoutchouc de taille 34, des collections de pin's, des autocollants dans des boîtes à chaussure, un talisman en pâte Fimo, des petites voitures, des figurines, des cassettes vidéo de Walt Disney, des talkies-walkies en panne…

Elle me demande où j'en suis. Je manque de répondre que j'en suis aux talkies-walkies, mais je dis :

– Où j'en suis de quoi ?

– Des études, par exemple.

– Terminale.

– Ah. Et ça va ?

– Ça peut aller.

Je sais qu'elle contemple tout l'avenir que j'ai devant moi et qu'Yvan n'aura jamais. Toutes ces possibilités qu'elle croit que j'ai, parce que je suis vivante. Alors que ça ne suffit pas d'être vivante. Toute sa vie elle va peut-être croire ça maintenant, que les autres ont tout ce qu'Yvan aurait pu avoir. Alors qu'il y en a qui n'ont rien du tout devant eux. Rien du tout. Même vivants. Après un long silence, elle dit d'une voix étouffée :

– Tu sais, Claire, pour ton père... pour Thierry et moi...

– Je veux rien en savoir, de cette histoire. Je m'en fous, Solange.

Je ne peux pas lui dire que leur histoire m'a volé les six dernières années d'Yvan. Cette chose tellement importante, la plus importante, c'est drôle, je n'arrive à la dire à personne. Même à Stella, je n'en ai pas parlé. Solange ne ricane plus, me regarde étonnée.

C'est la mère d'Yvan, celle qui est au plus haut de la souffrance, qui devrait avoir le droit de tout dire, dans l'ordre et avec le ton qu'elle veut. Elle n'en revient pas que je lui coupe la parole comme ça. Elle se replie. Je me lève. Je ne peux rien pour elle. Yvan, mon Yvan n'habite plus ici depuis longtemps. Peut-être même qu'elle ne l'a jamais connu, mon Yvan.

Il n'y a plus qu'à partir, maintenant. Puisque aucune conversation n'est possible, puisque nos douleurs sont concurrentes, puisque je vois sous le maquillage que Solange s'effondre, que je l'ai déçue.

Je ramasse les affaires d'Yvan. Je marmonne que j'y vais, je trouve la force de dire merci, de dire aussi Solange, son prénom de toujours, celui que j'appelais en entrant ici, celui que mon père a dû murmurer, celui que Serge a hurlé, celui qu'Yvan ne prononçait pas. On s'embrasse, on est mortes pourtant. L'une et l'autre mortes, et pourtant on s'embrasse. Rien à voir avec le rêve où Yvan m'embrassait du ciel, où il était le ciel, où j'étais aussi vivante que lui.

15

Je ne comprenais pas pourquoi ils l'appelaient Tom et pas Yvan.

Cette histoire a duré quelques mois, elle a commencé un jour de barbecue quand on m'a tendu une assiette pour lui. C'était une assiette en carton lestée d'une brochette et d'une poignée de chips tendue par ma mère :

– Tiens, apporte à manger à ton p'tit homme.

– C'est pas pour mon p'tit Tom, c'est pour Yvan ! j'ai répondu, furieuse.

Tout le monde s'est esclaffé et je suis repartie vers lui, vexée de faire rire les adultes à mes dépens sans comprendre pourquoi. C'était avant le CP, avant que j'apprenne les tours joués par les mots et les lettres.

Yvan n'a pas ri, il a pris l'assiette et m'a emmenée vers le coin qu'il nous avait trouvé pour pique-niquer. Pendant qu'on s'installait, il m'a vengée en imitant les adultes et leurs rires avec ses grimaces de compétition qui ont fait exploser ma bouderie en postillons de rire.

Quand on m'a refait le coup du petit Tom par la suite, je me suis contentée de hausser les épaules.

16

Passée la porte de Solange, j'aspire de l'air et j'expire des larmes. Je marche le nez dans le pull d'Yvan qui ne sent rien qu'une suave odeur de lessive. Je marche et je vais marcher pendant le reste de mes jours. Il n'y a que ça qui rende supportable de regarder les feuilles mortes collées au bitume mouillé du trottoir, les vitrines de Halloween, les bruits des voitures qui passent, le fait qu'on approche de l'hiver. Dans un livre de Howard Buten que j'ai découvert sans Yvan, un gamin dit que les voitures font un bruit de scotch qu'on arrache quand elles passent sur la chaussée mouillée. Je me concentre là-dessus.

Du scotch, on s'en mettait sur les lèvres pour les faire gercer. Le mettre, l'arracher, le mettre, l'arracher, jusqu'à ce que la peau des lèvres devienne rouge et douloureuse, ça nous occupait pendant de longues minutes. On faisait ça tout le temps. Après, on demandait à nos mères du Dermophil indien. Et le grand jeu, c'était de faire rire l'autre pour que ses lèvres craquent et saignent. C'était toujours lui qui gagnait et moi qui riais. C'était moi qui saignais.

Je veux marcher encore, pour l'instant rentrer m'est impossible. Je ne sais pas où j'habite. Dans quelle famille, dans quelle maison, dans quelle époque, dans quelle vie ?

Il me faut me retrouver, moi. J'éprouve le besoin de me regarder dans une glace, pour retrouver cette sensation de caméra, comme au cimetière. Je dois trouver un miroir et me regarder en face, longtemps. Pour voir si Yvan est dans mon visage, caché quelque part. Je ne pense plus qu'à ça. Je m'arrête dans la rue, me penche sur un rétroviseur mais c'est inconfortable de me regarder comme ça.

Je sais où aller : dans les toilettes de la médiathèque, il y a des miroirs immenses. À cette heure, elle est encore ouverte.

J'entre dans le hall en bois clair, ce hall qui a l'air de dire que la vie est sereine alors que tous les livres qui sont là sont remplis de meurtres, de deuils, de conflits, de douleurs, de toutes les horreurs que les hommes se font subir les uns aux autres. Mais les murs et le sol clairs avec des sièges comme des virgules disent que tout va bien.

Je pousse la porte des toilettes et retrouve mon reflet. Ça me soulage de voir mon rimmel coulé, mes yeux gonflés, mon nez rouge. C'est la seule chose qui ressemble à Yvan, mon visage ravagé de petite sœur : la chose qui dit que c'est vrai. Ça me fait du bien. Je le trouve beau, mon visage qui ne ment pas. Ça n'est pas moi qui suis belle. Ce qui est beau, c'est de ne pas mentir et que son absence fasse mal. Que ça soit vrai, un point c'est tout. Qu'on arrête de s'en foutre, de faire semblant et de dire comme ma mère que le temps passera sur ce garçon.

Chaque personne qui entre dans les toilettes et s'imprime dans la glace est une gêne. Et ça défile :

deux filles un peu plus âgées que moi, une mère et sa petite de quatre ou cinq ans, une femme d'une quarantaine d'années, assez grosse, négligée. Une prof malheureuse, peut-être. Je continue de me regarder profondément dans les yeux. Il y a, dans la situation, un petit côté dingo qui me plaît. Les filles et les femmes qui passent près de moi baissent les yeux et chuchotent en me jetant des regards inquiets. Elles sont dans notre intimité à Yvan et moi. C'est moi qui commande, c'est moi qui impose qu'on fasse le deuil, toutes ensemble.

Mon souffle redevient normal, sur la laine propre du pull, mes mains et mes épaules se décrispent. La peau de mes yeux blanchit, mon nez se dégonfle. Mes paupières clignent, ma poitrine s'ouvre un peu. Je soupire. Une fois, puis une autre fois.

Je passe de l'eau sur mon visage et je sors. Je me dirige vers le secteur des enfants. Je cherche les albums du Père Castor, *La Petite Poule rousse* et *Marlaguette*, et ce livre que je finis par retrouver: *Il ne faut pas habiller les animaux*, avec un porc-épic vêtu de lambeaux en couverture.

Nos soirées avec l'odeur de Serge, qui parlait près de nos visages. Le père d'Yvan, et son odeur de pipe froide, d'alcool léger, qui nous racontait les histoires du Père Castor. Nos matelas côte à côte à deux ou trois ans, pendant des nuits et des nuits, nos éclats de rire aux voix biscornues que prenait Serge pour faire parler le loup, le renard, la sorcière…

Et puis après, nos chahuts, nos disputes, livrés à nous-mêmes dans ces soirées interminables pendant qu'en bas, nos parents laissaient fuser des rires et des odeurs de tabac jusque tard dans la nuit. Pendant que devait commencer la séduction entre Solange et Thierry sans que personne n'ose la décrypter.

Ces ambiances de nichée dans le noir : rires, mouvements de draps, frayeurs et confidences. Jeux de séduction, action ou vérité. À huit ans, qui tu aimes ? Avoue que tu aimes Véra ou Lionel. Non, si. Les coups sur les épaules, poings fermés phalanges en crochet. La tendresse dans ces coups. Tout ça pour ne pas se dire qu'on s'aime. La peur qu'il voie mes seins naissants vers dix ans, les gros pulls emportés pour la nuit, même l'été, le trouble et la confiance qu'il m'inspire.

Le monde des adultes nous paraît manquer de sérieux : leurs conversations qui passent du coq à l'âne alors que nous, on peut parler toute la journée de la même chose : la moustache de la boulangère, le vol de billes dans les manteaux laissés aux patères du couloir pendant la récré à l'école, les chansons transformées à l'infini. Les adultes sont inconstants, pas sérieux, pas concentrés. Alors que nous...

Je voudrais emprunter ces livres du Père Castor, mais je n'ai pas ma carte. Je les emporte dans le hall, je m'assieds dans un fauteuil en forme de virgule et je les feuillette en boucle, le pull toujours sur les genoux.

Un type s'approche, cheveux gominés, œil de velours, il me demande l'heure. Je ne la lui donne pas. Lui plaire est humiliant. Colère contenue. Il me baratine que je suis charmante mais que j'ai l'air triste. Il sent le gel capillaire, le mec en chasse à la médiathèque.

– Laisse-moi, je lui dis. Laisse-moi, sérieusement, je ne rigole pas.

Il s'en va pour me montrer qu'il est fair-play, j'ai envie de broyer cette image de type bien qu'il arbore. Envie de l'insulter. Peur de lui, du mensonge qu'il traîne dans son corps. Mon cœur s'accélère, ma trachée se remet à fuir et l'air ne passe plus jusqu'à mes poumons. Je me concentre sur la couverture de *Marlaguette* en attendant que ça passe.

C'est en relevant les yeux que je découvre cette silhouette attestant qu'Yvan a existé : des dreadlocks blondes, des lunettes, une démarche nonchalante, souple. Je reconnais tout de suite le Christophe de la photo de sa chambre, le personnage si souvent aperçu dans son sillage ces dernières années. Il vient d'entrer dans le hall de la médiathèque. Je le regarde tellement fort qu'il me voit tout de suite. On se regarde longtemps, le temps qu'il passe les portillons d'alarme, qu'il dépose des disques et des bouquins sur le comptoir des retours, qu'il récupère sa carte et qu'il s'éloigne vers le premier étage.

C'est tout. Christophe est passé. Un type me drague et Yvan n'est pas là pour lui dire de dégager. Je fonce aux toilettes et je me regarde encore fondre en larmes. Qu'est-ce que j'y peux à tous ces incidents qui me ballottent ? Où aller maintenant ?

Envie de rien. Rester ou partir… Je me mets près de la sortie, son pull sur les épaules. Je regarde le jour baisser à travers la porte vitrée de la médiathèque. J'attends d'avoir envie de quelque chose.

Et puis Christophe réapparaît. Il s'apprête à sortir et se rapproche des portes. Nous sommes à quelques centimètres l'un de l'autre. Il me dit, ça va ?, et je lui dis que non. Il hoche la tête : normal. Il regarde le pull sur mes épaules. Il me dit qu'on pourrait aller boire un café si j'ai le temps. J'ai le temps. Je passe les portillons et l'alarme sonne, j'ai toujours les albums du Père Castor entre les mains. Christophe les emprunte sur sa carte et on sort. On va à la Civette, il me tient la porte. Me laisse choisir la table. Il feuillette *La Petite Poule rousse*. Il ne demande pas d'explications. Il sourit, il reconnaît quelque chose, lui aussi, de son enfance.

Il est laid avec ses grosses lunettes et sa figure de gosse pas fini. Mais il est beau d'aimer encore Yvan et d'en crever lui aussi de son absence. On est deux paumés. Il me dit que c'est dur pour lui aussi. Il voit que j'ai pleuré. Il ne me pose pas de questions. Je me demande ce qu'il sait.

– Et les autres ? je demande, tous ceux qui étaient à l'église assis bien devant, ils sont où ?

Il a ce petit rire de colère. Il dit que pour eux c'est fini, c'était une expérience, sans plus. Il dit qu'il ne les voit plus trop. Il a arrêté la fac très vite. Au bout de quinze jours. Il va chercher du boulot. Il ne veut pas se couper les dreads. Il voudrait faire menuiserie ou horticulture. Je l'écoute parler de lui, avec toujours l'envie de demander, et Yvan il en pensait quoi ?

La première question que je peux lui poser, c'est pour la musique.

– Est-ce qu'il a continué la musique ?

Christophe percute tout de suite. Il parle d'Yvan, des morceaux qu'il avait composés l'année dernière, des enregistrements qu'ils bossaient chez lui. Je souris, je dis que je suis soulagée, qu'il y a toujours eu la musique pour lui, que j'avais peur que tout ait été balayé. Yvan sans la musique, c'est impossible. Christophe rit.

Il me demande pourquoi on ne se côtoyait plus. Je dis que c'est une histoire minable. Il murmure qu'Yvan lui a parlé de moi une fois. Il me dit ça sans que je ne lui demande rien.

– Qu'est-ce qu'il t'a dit ?

Christophe a l'air gêné. Il raconte qu'un jour il s'est moqué de moi, parce que je les regardais tout le temps.

– Comme si tu étais, comment dire ? comme si tu étais amoureuse, quoi.

Il est tout rouge, ça me fait sourire.

– Continue, je lui dis gentiment.

– Yvan m'a jeté. Il a dit, sur cette nana tu fais pas de commentaires. Il a dit, si elle veut regarder, elle regarde. Tu la laisses. C'est clair ?

– Il a dit mon prénom ?

– Je sais pas si c'était ton nom. J'ai cru qu'il me demandait si j'avais pigé la consigne… Clair ou Claire avec un e… j'sais pas…

On rit. Un rire de soulagement pour tous les deux. Il me dit qu'il pensait que j'étais un peu, enfin, pas très forte de caractère, quoi. Il dit qu'il me voyait tout le temps les regarder avec des yeux qui me mangeaient la tête et qu'à force il se demandait si j'étais pas un peu à la masse. Ça me fait rire encore plus.

– Et puis tout à l'heure, il dit, quand je t'ai vue pleurer, j'ai eu envie de te connaître. Yvan, c'était un frère.

– Yvan, c'était mon grand frère, je réponds. On a grandi ensemble jusqu'à ce que la vie nous arnaque.

Je raconte. Ça commence par les histoires du soir dans des chambres de fortune les soirs de bringue de nos parents, parce que les livres du Père Castor sont toujours sur la table ronde où le cendrier se remplit. Je parle de ce que je sais d'Yvan. Le solitaire, le chevalier, le clown, le musicien drôle au piano, grave à la basse, absolu au djembé. Ce qu'on nous a fait.

Plus je parle, plus Christophe me regarde. Il hoche la tête, il sourit souvent, il reconnaît Yvan. Quelqu'un qui le reconnaît, enfin. Je pose mes souvenirs derrière ses grosses lunettes, ils se nichent bien au chaud dans ses dreads. J'ai un endroit pour les poser, ils sont en sécurité avec lui.

17

Christophe paie les cafés et me propose d'aller chez lui. Il veut me faire écouter la musique qu'ils faisaient avec Yvan. J'ai raconté la cassette introuvable avec sa chanson et mes rires. On prend le bus sans rien dire, on regarde la ville, fatigués. Reposés.

La maison de Christophe sent la ratatouille, l'automne et le tabac. Le temps n'y semble pas glacé comme chez Solange. Une femme est devant un ordinateur et nous salue distraitement. Sûrement sa mère. Elle porte une chemise verte qui tranche avec sa chevelure noire. On se dirige au bout d'un couloir. Une pièce avec un lit et du matériel électronique partout, des trucs de mixage peut-être. Je ne pose pas de questions. Je me fous du comment. Je vais enfin entendre la voix qui me manque. Je m'assois sur le lit.

Christophe me passe les morceaux qu'ils écoutaient ensemble. Du Miossec, un live de Police, un groupe de jazz : Uzeb, des vieux Marley, M en concert. Je demande s'il y a des filles dans les musiciens, de la musique de fille. Il dit non en souriant.

– Les seules filles, on les trouve dans les titres des morceaux.

– Et dans la vie d'Yvan, il y avait une fille ?

– Pas que je sache les derniers mois. Mais à Lacanau où il est mort, peut-être qu'il avait fait une rencontre d'été, j'en sais rien. Dans ses mails, il ne disait rien.

Christophe me donne tout ce que je demande, généreux, patient. On en vient aux morceaux d'Yvan. Il sort un CD précautionneusement et le pose dans un tiroir métallique. Ses doigts rapides enfoncent des touches, tournent des manettes, poussent des curseurs.

La musique surgit enfin.
– C'était qui à la basse ?
– Yvan.
– Aux percus ?
– Yvan.
– Et les autres instruments ?
– Des claviers.
– Yvan aussi ?
– Ouais.
– Tu ne faisais rien, toi ?
– J'enregistrais, je mixais avec ça.

Il montre les appareils compliqués. Et puis la voix d'Yvan, comme une déferlante. J'étais venue pour elle, mais je ne m'attendais pas à ce qu'elle soit devenue ça : la même en plus homme. Je pose ma main sur ma bouche. J'ai des bouffées de colère qui me viennent et que je retiens. Une rage sèche. C'est lui qui chante. Christophe a les yeux qui brillent. Il s'allume une cigarette et baisse la tête. Son pied droit marque le rythme. On se tait, on écoute tout. Quatre morceaux. Une émotion virile, des rythmes plus que des mélodies. Rien de l'enfance, tout de lui, pourtant. Christophe dit les arrangements travaillés pendant des nuits et des nuits.

Je dis que je n'y connais rien, mais que je retrouve des trucs. Aussitôt je regrette ces mots mais Christophe m'encourage : mon avis l'intéresse.

– Des trucs de quoi ?

– Je ne sais pas, de ce qu'il faisait petit pour s'amuser, de son humour, de sa colère, de sa solitude, je ne sais pas.

Mes mots sont niais. J'arrête de parler. Je hausse les épaules. Je dis juste que je le reconnais. Christophe sourit en grand.

– C'est cool.

– Tu les écoutes souvent ? je demande.

– Ouais. J'ai envie de retravailler certaines choses. Yvan me manque quand ça me vient parce que je ne sais pas si je peux y toucher. Bientôt, je ne les écouterai plus à cause de ça. À cause du travail qui continue dans ma tête et dont je ne peux rien faire.

Je lui demande ce qu'il va en faire. Je voudrais savoir qui a écouté les morceaux. Un ou deux potes, à l'occasion.

– Ils ont dû te les demander, non ?

– Personne n'a rien demandé, ricane Christophe. Personne ne parle plus de lui. Moi je suis là, avec des trucs plein la tête pour les arrangements, des trucs qui me viennent. Mais les autres, ils ont fermé la boîte. Rideau, tu vois ? Je suis dégoûté. Je pensais qu'on était…

Il se tait. Interrompt sa phrase. J'en connais la fin, de toute façon.

– Et ses parents, tu leur as fait écouter ?

Il dit non. Il dit qu'Yvan voulait faire ça dans son coin, il avait pas trop envie de tout le tralala d'explications et d'avis. Il avait ses idées sur ce qu'il voulait faire.

Je dis que, si un jour il veut bien, s'il pense que c'est possible avec le souvenir d'Yvan, ou que si un jour il voulait tout effacer, je dis le souffle court tellement j'ai peur, je dis que moi je voudrais des copies, que personne d'autre que moi ne les écoutera. J'ai besoin de sa voix.

Il me prévient :

– La voix s'use, tu verras. Au bout du compte, ce n'est plus lui que tu entends. Ça devient quelque chose d'abstrait, tu ne peux rien retenir. Tu verras.

– Alors tu me les donneras, les morceaux ?

Il dit oui, quand il aura le courage de le faire, il me les copiera. En le remerciant, je lui demande juste de ne pas changer d'avis.

– T'inquiète pas.

La nuit est tombée sans qu'on s'en aperçoive. Christophe allume une lampe et ça change quelque chose dans la pièce. Il y a toutes ces affaires que je vois tout d'un coup. Son linge sale par terre, des cendriers pleins, une feuille d'analyses médicales, une agrafeuse. Une vie en dehors d'Yvan, là encore. Personne n'est Yvan. Il y a juste des morceaux de lui qui surnagent et que j'attrape à l'épuisette. Mais ces morceaux ne reconstruisent rien, au contraire : ils l'éparpillent encore plus.

Je rassemble mon sac, le pull, les livres du Père Castor, vérifie dans la poche de ma veste qu'il y a toujours le trombone tordu et la feuille avec le dessin griffonné.

– J'y vais, je dis.

– OK.

On ne se promet pas de se revoir. Tout est tellement incertain et on le sait. Je regarde la platine une dernière fois. Christophe hoche la tête. Il le fera, il copiera les morceaux, j'ai confiance.

18

Laquelle des deux l'avait dit ? Ma mère ou Solange ? Je ne me souviens pas. Parce qu'elles font, dans mes souvenirs d'enfance, comme un seul corps, une seule mère à quatre bras, à deux girons avec, c'est vrai, des peaux différentes, des odeurs distinctes, mais un même regard lumineux, un même projet de s'aimer toujours, un même abri entre leur cou et leurs cheveux.

Un jour, elles l'ont dit :

– Ces deux-là sont comme frère et sœur.

Si ça n'est pas Alice, c'est Solange. Celle qui m'a dit qu'Yvan n'avait ni frère ni sœur ou celle qui l'a appelé « ce garçon ». Une des deux l'a dit un jour. Les deux l'ont pensé. Ces mots ont été dits devant nous et ils nommaient le bonheur. C'était un soir d'été, en quittant une plage, repus de bains et de soleil, frottés de sable et de sel, les genoux tremblants de fatigue. Ces mots ont été dits par nos mères qui marchaient derrière nous, ces mots n'ont pas été démentis pendant des années, n'auraient jamais dû l'être.

19

On est dans la chambre de Stella depuis la veille au soir, à faire des compilations pour ses dix-neuf ans. Stella fait une bringue, c'est le mot qu'elle utilise. Le but du jeu, c'est d'enregistrer des heures de musique sur compilations pour son anniversaire. Pour chaque morceau, je demande en secret à Yvan son avis. J'imagine ce qu'il dirait, la tête qu'il ferait, l'air sérieux qu'il prendrait. Parfois je ne lui demande rien. Il y aura du latino-silicone et du bamboula-fric. Il faut que ça danse. On danse avec Stella, on singe les bimbos des clips qui bougent leurs fesses en short. On est seules. Ensemble.

Pour son anniversaire, je lui peins un tableau en secret. Encre et collage. Du bleu turquoise et du noir. Je fais ça la nuit en écoutant Marley au casque. Je le lui offrirai quand on sera seules. Après la fête. Ou juste avant.

Elle me fait du bien, Stella. Avec elle, je suis obligée de faire les choses, j'ai le droit d'exister sans Yvan. Elle n'y est pour rien. Elle n'a connu ni exclu personne, n'a rien demandé. Elle fait les grimaces les plus improbables pour me faire rire. Un point commun avec lui.

Avec ses yeux qui soulignent, elle dit que Noé demande si je viendrai. Avec ses grimaces, elle demande si j'ai remarqué comme il m'observe. Non, je n'ai pas remarqué. Je ferai attention.

Mais je sais déjà que quand mes yeux se posent sur Noé, il y a un décalage. Un malentendu. Il est léger comme un enfant, ses épaules étroites, son air de lutin, ses mains fines, son torse mince. Il ne tiendra pas deux secondes face au vent.

– Quel vent ? demande Stella.

– Le vent, c'est tout, c'est une façon de parler. J'aime les mecs larges, les gars bien plantés dans le sol avec des gros cous et des grandes mains. Ou en tout cas avec de la force dedans. N'importe laquelle, mais de la force. Sinon j'ai peur de moi-même.

– Et aussi qu'en ont une grande ? elle demande, avec un air ingénu.

On rigole. Je lui claque la cuisse.

– Noé, je le casse en deux rien qu'en le regardant. J'aime les vieux, je lui dis.

Elle fait des grimaces dégoûtées avec ses yeux qui acceptent tout quand même. Stella douceur.

Je précise que j'aime les vieux à cause des veines de leurs mains qui ressortent. Ça fait comme des petits chemins qui me rassurent. J'ajoute que j'aime les vieux à cause des rides de chaque côté de leur bouche qui me donnent envie de les embrasser. Je dis aussi que j'aime leur peau avec une épaisseur déjà frottée.

– Comment ça, déjà frottée ? elle demande, curieuse.

– Je sais pas… Ces mecs-là si tu les étonnes, c'est que t'es vraiment intéressante. Les mecs comme Noé, c'est facile de les étonner. Les vieux, ils en ont vu et c'est pour ça qu'ils n'auront pas peur de moi. Les autres, j'ai peur de les effrayer.

– T'as déjà essayé avec un vieux ?

– Je te l'aurais dit. Tous les mecs que j'ai eus, tu les connais.

– Si tu devais essayer, ça serait avec qui ?

Stella qui veut tout savoir.

– J'en sais rien. Un physique comme Sean Penn, ce genre-là avec beaucoup d'humour et des révoltes.

– Non mais t'es dingue, c'est carrément un vieux de plus de cinquante ans. Je croyais que tu parlais de vieux de trente ans !

On rigole.

Stella dit qu'elle, c'est les routards.

– Les types avec les chiens, qui puent des pieds ? C'est ça ton délire ? Les mecs bourrés tout le temps qui vivent comme des clodos ?

– Ouais, je voudrais faire ça : me tirer avec un mec comme ça qui m'emmènera vers la mer et me jouera de la guitare.

Je me fous d'elle en singeant un gros baba cool. Je lui dis qu'elle est dingue. Elle me traite de gérontophile et moi de clodophile.

– Je voudrais trouver quelqu'un maintenant, elle dit. Je suis vieille. Dix-neuf ans, pas dix-huit comme toi. J'ai déjà les seins qui tombent et de la cellulite aux cuisses.

– Ça viendra, je lui dis. T'as bien eu Ronan pendant un an. Moi, mon record c'est quatre mois avec une rupture de trois semaines.

Elle se fout de moi et de mon histoire toute minable. Elle a raison. Je ris avec elle. Il n'y a que ça à faire : rigoler d'être restée avec ce type que je n'aimais pas, d'avoir couché avec lui par curiosité, d'avoir menti du début à la fin. Même ma tristesse de la fin, c'était du toc.

Elle, avec Ronan, c'était autre chose. J'ai bien vu qu'elle était mordue, Stella. Elle n'osait plus faire certaines grimaces, elle écoutait Ben Harper en boucle, parce que Ronan n'écoutait que ça. Elle était silencieuse, précieuse même, à en devenir crispante. Elle y croyait. Et puis au bout d'un an, Ronan a tout dissous sans un mot. Éparpillées les nuits d'amour, éteint le portable, pas expliqué, pas raconté, pas commenté. D'abord elle n'a rien dit. Elle a fait la fière, elle a pensé qu'il reviendrait, elle a rigolé. Elle le regardait dans la cour du lycée avec sa petite tête rigolote, la tête qui le faisait craquer. Avant. Elle lui montrait que c'était pas grave, va ! Qu'il pouvait bien vivre un peu autre chose et s'en revenir. Et puis au bout de trois jours pleins, elle a compris. C'est là qu'elle est devenue pâle du matin au soir, qu'elle a commencé à le regarder avec la faim, avec la colère et la honte.

Je n'ai rien pu faire pour elle. Pas possible de la caresser, de prendre ses doigts rongés entre mes mains, de glisser mon bras sous son coude, autour de sa taille, de relever ses cheveux avec mon poignet. Rien à faire, rien à dire. Périmètre de sécurité chargé en vingt mille volts. Même contre moi. *Keep out.* Alors j'ai attendu.

Il y avait déjà eu l'abandon d'Yvan. Je suis restée plantée une nouvelle fois. Enragée. Un jour, elle est revenue. Je lui ai dit, dégage. Je lui ai dit, pour un mec, tu ne connais plus personne, dégage. En cours de maths, elle a eu cette grimace pour moi. Elle a pris ce risque qui m'a touchée. Faire rire quelqu'un qui vous en veut. J'ai rigolé. Elle ne savait pas où elle mettait les pieds ni comment Yvan m'avait récupérée après l'histoire du miel sur la rampe d'escalier. C'est comme ça qu'elle a gagné. En refaisant le coup des grimaces dix ans après lui. Et dans dix ans, qui me le fera ?

Stella a envie de parler des mecs. Je lui raconte le type de la médiathèque.

– Il était beau ?

– Non. C'était un blaireau, un menteur.

– Comment tu le sais qu'il mentait, elle demande. Peut-être qu'il a vraiment eu le coup de foudre pour toi. Comment tu peux savoir ?

Je réfléchis et je lui dis :

– Il avait du gel dans les cheveux et ça se voyait trop.

– Ah d'accord.

Elle fronce les sourcils, rentre ses lèvres entre ses dents, fait trembler sa tête et ses mains comme un vieillard, ajoute, le regard en coin, qu'en plus c'était pas un vieux.

– Tu veux un cachou ?

Je lui claque la cuisse en riant.

20

– Où tu vas, Thierry ?

Ma mère crie et pleure. Mon père est très pâle, debout, sa veste en cuir sur le dos. Je les observe.

– Où tu vas, bordel ?

Je les regarde dans leur détresse, eux ne me voient plus.

– Je vais… tu sais bien, là-bas.

– Chez Solange, hein ? Mais dis-le bordel ! Dis-le que tu vas chez elle, au moins !

Ma mère qui n'est jamais vulgaire et qui devient si laide. Mon père qui n'est jamais lâche et que je découvre soudain si petit.

– Oui, Alice, je vais voir Solange.

– Et tu vas la baiser ?

– Arrête, s'il te plaît, Alice, arrête…

Mon père tend une main vers ma mère qui se cabre et sanglote.

Yvan et moi, nous vivions dans un monde sans conflits, un monde où l'on ne parlait de sexe que pour se faire rire ou s'offusquer, un monde où la mère avait les deux visages familiers de Solange et d'Alice, où les pères faisaient des ponts et des barrières autour des châteaux de sable, un monde où l'on nous disait frère et sœur sur le chemin de la plage. Le monde d'avant la Dordogne, d'avant la tristesse dans le regard d'Yvan.

Ce jour-là mon père a tourné les talons, a fermé doucement la porte sur les sanglots impuissants d'Alice. Plus rien ne serait possible après ça, plus rien ne pourrait subsister du monde d'avant. Moi j'étais prête à faire semblant. Pas Yvan.

21

Stella veut se faire belle pour sa fête. Je lui dis, surtout pas.

– C'est comme ça que tu es belle, arrête. Avec ton fute noir et tes t-shirts customisés maison. Avec tes yeux trop maquillés et tes cheveux en punkette mal réveillée.

Elle ne sait pas quoi en faire, de mes compliments. Grimaces.

Je lui dis qu'on mettra du Ben Harper pour conjurer le sort. Je ne lui dis pas mais je mets du Marley, du Police pour mon sort à moi. Elle laisse faire. Elle dit que c'est *vintage*.

Petit à petit, le jour décline dans cette chambre et depuis un moment quelque chose de gluant me remplit l'intérieur. J'essaie de l'ignorer, mais la poisseuse absence d'Yvan réapparaît, ôtant du sens à tout ce que je fais.

J'ai besoin d'un miroir, je lui dis. Elle sort sa petite glace rose rectangulaire au dos de carton bouilli, me la tend sans poser de question. Je me regarde mais ça ne me soulage plus. J'ouvre la fenêtre. Le ciel est orange et noir. Il fait froid. Stella proteste. Je lui dis que j'ai les boules, elle me dit, je m'en fous j'ai froid.

Et quand plus tard, je lui dis que j'ai l'impression d'être vieille en dedans, elle prend ce petit air étonné et respectueux. Je précise :

– À cause des trucs que j'ai vécus. Ça me prend parfois, je te jure. Tellement vieille. Pas la vieillesse des seins qui tombent ou de la cellulite, la vieillesse de ne plus rien attendre et de ne croire en pas grand-chose.

Stella ne fait pas de commentaires, me passe sa clope en hochant la tête. Et puis plus tard, elle dit que c'est pour ça que j'aime les vieux, que c'est pas des trucs freudiens avec mon père, mais que si je me sens vieille, c'est normal que j'aie envie d'aller bécoter des vieux. C'est là que me vient l'envie de parler d'Yvan, de lui raconter.

J'attaque l'histoire comme un alpiniste une paroi, par le versant Père Castor. Sourire immédiat de Stella.

– Trop cool, *La Petite Poule rousse* !

Elle rigole, elle se souvient du coup de la pierre glissée dans le sac, du sac recousu pour tromper Renard, de Renard ébouillanté. Elle raconte, elle court devant sur mon chemin à moi. Elle ne part pas du tout là où je voulais l'emmener. Elle rit quand elle retrouve ce nom de Marlaguette. Je n'arriverai pas à la ramener sur l'histoire d'Yvan. Trop de trajet à faire, et par où passer ? Comment expliquer que je n'ai rien dit avant ? Je glisse le long de la paroi, plus de prises, je tombe, j'abandonne. Je dévisse.

Je la déteste de ne pas me laisser lui raconter Yvan. Elle paraît vieille, mon histoire qui sent le moisi. Elle s'en fout, Stella. Elle veut un amoureux pour ses dix prochaines années, un type aux cheveux sales qui lui joue de la guitare au bord de la mer.

Moi, je sais que les types qui jouent de la guitare n'aiment pas les filles comme elle. Trop présentes. Trop fortes. Les filles qu'ils aiment sont transparentes, elles leur pendent dans le dos comme une chevelure qu'on pourrait couper mais qu'on garde. Pour la gloire, pour la frime. J'ai envie de lui faire mal, de casser ses rêves pour qu'elle souffre aussi. Comment lui dire qu'elle me tue à ne pas me deviner ? Comment faire pour dire ça ? Parce que je sais qu'elle devra apprendre à regarder d'autres types que ceux qui l'attirent. N'importe quel mec, même avec un pantalon en feu de plancher ou du gel dans les cheveux, n'importe quel mec qui voudra bien passer une nuit avec elle en lui tenant la main, en lui caressant les cheveux, en acceptant de l'apprivoiser avant de la sauter. Pas comme tous les autres, là.

– Et alors ? Tu ne dis plus rien ?

Je ne peux même pas lui répondre. C'est comme si ma bouche s'était soudée à mes dents. Je sais que je suis laide. Je me déteste autant que je la hais. Je n'en finis pas de tomber de ma paroi, un impact qui dure à ce point, je ne croyais pas ça possible. Si au moins je pouvais pleurer. Elle me regarde, énervée aussi.

– T'es chiante à bloquer comme ça en ce moment ! S'il y a quelque chose, il faut le dire ! J'ai fait quelque chose ? Y a quelque chose que j'ai pas fait ?

Elle dit qu'elle donne tout ce qu'elle peut. Je dis juste que je sais, que je m'excuse, que c'est vrai, que je ne suis pas en forme. Pas en forme. C'est quoi cette expression ? N'importe quoi. Même moi, je me trahis avec ce genre de mots.

C'est raté, je ne lui parlerai pas d'Yvan. J'ai gâché la seule chance, la seule petite ouverture. Je dis que c'est un coup de pompe.

– Je suis crevée en ce moment.

– Tu manques de magnésium ou de fer ou de calcium, un truc comme ça.

Stella docteur.

J'attends un peu, m'efforce de parler d'autre chose, de récapituler les compilations, de calculer le temps total de musique. Tenir une demi-heure, tenir juste le temps d'éteindre le petit feu entre nous. Je bâille, montre une fatigue feinte, prends mes affaires. Je l'embrasse, elle me prend dans ses bras ronds qui sentent bon, elle dit qu'elle m'adore comme je suis. Même bizarre.

Stella maman.

Je ne suis pas bizarre, je suis juste trop loin d'Yvan. Je pense qu'il aurait mieux valu qu'on me coupe une jambe. Au moins, ça se serait vu. J'aurais eu le droit de boiter. Personne n'aurait dit de moi que j'étais bizarre, on m'aurait comprise, soutenue.

Porte refermée. Cage d'escalier sonore.

Ascenseur. Hall. Rue. Toujours rien. Yvan reste absent, sa mort m'avait donné une profondeur, son absence m'efface.

La nuit est terne et bruissante de gens qui rentrent chez eux. Je pense au corps d'Yvan dans la terre froide. J'ai envie de le bercer, de le réchauffer, de lui tenir compagnie dans son lent pourrissement qui est encore une forme de vie, quoi qu'on en pense. Je veux m'allonger près de lui et parler de la moustache de la boulangère, lui mettre des coups de poing dans l'épaule avec le majeur en crochet.

Mais je n'irai pas au cimetière. Je ne veux rien, en fait. Ou alors marcher, être en mouvement, avoir l'impression d'avancer au moins d'une façon, la plus simple : mettre un pied devant l'autre et recommencer. *Dans la troupe, y a pas d'jambe de bois*. Je chante en boucle dans ma tête : *la meilleure façon d'marcher, c'est encore la mienne*. Ça me fait du bien. J'ai un rythme, je suis vivante. Je marche en chantant dans ma tête. À chaque pas j'accepte d'abandonner un morceau d'Yvan. Il était mort depuis longtemps. Bien avant l'accident de Lacanau. Sortir de lui, revenir à moi. Ça doit être possible.

22

Un torchon sale jeté sur le bord de l'évier, une plaque d'aluminium où s'alignent des canapés aux œufs de poisson, un gâteau au chocolat dans son aluminium, un cake aux olives pas cuit qui gît effondré sur une volette, un fond de musique (compil n°6 initialement prévue pour la fin de soirée). La voix de Stella partout, dans le four, dans l'entrée, au téléphone, dans le frigo. Son maquillage un peu trop apprêté, le tablier de sa mère avec un dessin de poule, sur son jean noir customisé de bris de CD cousus comme des miroirs et des paillettes. Un peu énervante à papillonner partout mais tellement mignonne.

– Les toasts de tapenade, merde ! On a oublié les toasts de tapenade, Claire, s'il te plaît fais quelque chose !

Je ris, une bière à la main.

– J'ai largement fait ma part, à partir de maintenant il faut payer sinon ça devient de l'exploitation !

Elle sort un paquet de fraises Tagada, mes bonbons préférés et me dit :

– Bon, combien ?

– Dix.

– T'es dure en affaires !

Elle ouvre le paquet et me le renverse sur la tête, je n'ai rien eu le temps de voir venir. Je proteste, j'ai du sucre rose partout, ça va coller. Noé dit qu'il veut bien d'un bonbon géant comme moi, avec sa tête genre j'assume, j'ai l'intention de t'emballer dans la soirée. Je hausse les épaules. Tout le monde rigole.

– T'es rien qu'un lutin, je lui lance.

– Je te montrerais bien mes grelots, il me répond avec une tête de pervers.

Je rigole et l'embrasse sur la joue, s'il savait, avec son jean tout propre, ses trois boutons sur le front, son tout petit entêtement, s'il savait à quoi il s'attaque. Il me touche. Je lui suis reconnaissante de ne pas avoir peur de moi, de me désirer quand même, de croire à mon cinéma. Noé est un pote.

Ça sonne, Stella va ouvrir et revient. Personne ne demande qui c'est, dans le salon il y a une nouvelle musique, des rires un peu trop forts, une odeur de tabac.

– J'ai envie de danser, mettez-moi quelque chose de bon ! je crie, la tête renversée.

J'ai toujours mon verre de bière à la main avec des fraises Tagada qui flottent. Je bois. C'est pas mauvais, bière Tagada. Du coup, on se fait des cocktails. Sden me fait goûter un Tango : bière et grenadine. Stella ajoute de la limonade et ça devient un Monaco.

Chloé arrive en demandant c'est qui le mec avec son djembé. Ah oui, un copain de Florian. Trop beau, le mec. Ça y est. Chloé a un projet. On se regarde en coin, on rigole. Il me faut dix minutes pour réagir, pour que le djembé me fasse penser à Yvan. J'ai existé sans lui pendant dix minutes. C'est moi qui l'abandonne, qui le snobe.

Je suis fatiguée de la tristesse, épuisée du manque. J'ai envie de me retrouver.

Je répète que j'ai envie de danser, je dis à Stella qu'on a assez fait les mémères à la cuisine.

– Viens danser ! je lui crie en tirant son bras. Viens, c'est toi qui dois donner le top départ !

Elle prend sa bière grenadine et jette son couteau plein de tapenade sur le gâteau au chocolat. Noé hurle. On l'imite. Ce soir on innove : bière grenadine et chocolat-tapenade !

Noé a mis du Claude François, Vincent dit que ça craint mais Chloé se met devant lui à faire la Claudette, il trouve que c'est pas mal, finalement.

Je pose mon verre sur une enceinte. Je me fous de la chorégraphie des Claudette. Je n'entends que le souffle du chanteur mort, son souffle entre les mots de la chanson. Je danse sur ce souffle. Je deviens son corps sautillant de danseur tel que je l'ai vu à la télé avec ses chaussures à talons et ses costumes à paillettes. C'est ce corps que je vois derrière mes yeux fermés. J'entends Stella qui me crie, ouais Claire ! Quelqu'un monte le son. Je suis réconciliée avec moi, dans la danse. Je me souviens que j'ai des pieds, un bassin, des mollets, des coudes, une nuque. Tout est bien en place et je m'en sers comme je veux.

Je sais qu'après il y a *Ouallah*, des Zebda. Le premier qui touche à la platine, je le tue. Laissez-moi danser. Quand je tourne sur moi-même, je vois que tout le monde est là. Ceux qui dansent et ceux qui sont au spectacle en riant. Je tourne encore. Mon talon est un roulement à billes, mon souffle tient la distance. Je me donne entière et ne suis pas fatiguée. Je n'ai jamais dansé comme ça. Une fille cherche mon regard, je ne veux pas. T'as qu'à danser toute seule, je lui dis dans ma tête. Stella m'attrape la taille, je me dégage. Elle n'insiste pas. Mon corps est une machine obéissante, une échelle vers l'espace qui existe en dehors de lui, une pompe à oxygène, un retour à la vie.

Sauf que je sais ce qu'il y a au bout de cette vie qui semble évidente. C'est peut-être ça qui me donne plus de force. Le nuage de guêpes vrombissant au-dessus des fleurs de la tombe d'Yvan, cette image qui revient dans la danse, je l'accepte. Je danse avec les guêpes, je danse avec les mains de Christophe sur les manettes de mixage, je danse avec l'assiette de lasagnes de mon père répandue par terre, avec les fleurs de pissenlit qui poussent sous les dalles devant la maison d'Yvan. Mes bras dessinent des chemins rigoureux. Mon cou reste droit et détendu. J'ai les pieds sur le sol et personne n'y peut rien. Je danse avec tout ce qui est advenu. Je danse parce que tout ça est arrivé.

En tournant, je perçois le regard de ce type, avec son djembé à côté de lui, assis sur un pouf. Je ne sais pas pourquoi, ce regard marche avec ma danse. C'est lié. Je lui souris. Il tient mes yeux sans sourire. Quoi ? trois secondes. Quelqu'un lui parle. Il s'en va de mes yeux. Je continue à danser. Le chemin vers lui reste ouvert, mon bassin se remet face à lui quoi que je fasse, mes épaules s'ouvrent vers lui. Je suis une lumière, une envie de lui plaire. Il est une lumière. La même.

J'ai perdu le rythme, les secondes pendant lesquelles j'ai remarqué ce gars, je suis sortie de la danse. Je me suis arrêtée, n'ose plus trop le regarder, juste un peu furtivement. À chaque fois il me voit.

Il y a un grand conciliabule dans la cuisine autour du cake pas cuit. Je rejoins Sden qui hurle de rire, Stella vexée qui lui met des coups de torchon. Sden a essayé de couper un bout de cake, il en fait une pâte qu'il malaxe, comme de la pâte à modeler. On s'y met tous : atelier cake à modeler. Sden fait une bite, évidemment. Je fais un chien. Stella me demande si c'est une vache. On se ressert des bières grenadine.

Mina lance une farandole. Vas-y, on n'est pas au mariage des Bidochon, hurle Noé. Mais Mina emporte le morceau. Tout le monde se met dans la farandole en chantant, bon anniversaire Stella. Chloé fait des nœuds avec la farandole, on se retrouve en tas, ma bière s'est renversée. Tout le monde serre tout le monde et on n'a pas envie que ça s'arrête. On refait des nœuds et des nœuds pour rester serrés les uns contre les autres. Sden en profite pour se tortiller contre Chloé qui hurle de rire. Je suis dedans et dehors. Je suis collée aux autres avec assez d'espace pour nous regarder ensemble et en jouir.

Hé les mecs, arrêtez ! Noé a crié d'un seul coup. Stella est en larmes, elle est tombée. Elle pleure. Tu t'es fait mal ? Elle dit que non, que c'est juste que... Elle dit que c'est bien qu'on soit tous là. Elle dit qu'elle n'avait pas imaginé ça comme ça. On lui demande ce qu'elle veut. Non, non, changez rien. Elle sanglote en riant. Elle dit qu'elle nous aime et tout le monde se jette en tas sur elle pour l'embrasser. Elle nous insulte en hurlant qu'elle étouffe. Qu'est-ce qu'on peut faire après ça ?

Il a dû se dire qu'il n'y avait que lui qui puisse éviter que ça retombe. Alors il s'est mis à jouer. On s'est tous relevés, on l'a regardé une seconde, peut-être trois. On a commencé à frapper dans nos mains. J'ai regardé Noé qui n'était pas du tout en rythme et je l'ai trouvé émouvant. Chloé a entrepris une démonstration de déhanchés brûlants et la mâchoire de Sden s'est décrochée.

On a dansé. Encore. Le percussionniste nous a appris qu'il y avait des rythmes spéciaux, des appels, qui nous donnaient le signal d'un changement de mouvement. Un deux trois, un deux trois quatre cinq. Il a fait exprès de les signaler avec ses sourcils pour nous aider. On a tous pigé. C'est Chloé qui montrait des mouvements. Je ne pouvais plus quitter les bras et le torse du percussionniste qui me rassuraient, me réparaient. J'ai arrêté de danser, pour le regarder en urgence. Je me suis assise par terre. Je me suis laissé faire. Le son du djembé comme une argile douce sur mes fêlures.

D'où il vient ce mec ? j'ai demandé. Un copain de Sden, il assure, hein ? Stella me regarde avec sa grimace « gros sabots ». Attention, elle dit, pas assez vieux pour toi. Je rigole. Si ça se trouve, il est vieux comme moi, en dedans. Je ne le dis pas. Elle a trop bu pour comprendre. Elle part à la recherche d'une cigarette.

Tout à l'heure, je lui offrirai le tableau turquoise et noir. Ou demain, quand elle sera plus claire.

Il a cessé de jouer et puis on s'est écouté Tiken en boucle : *Soungourouba*, *Le pays va mal*, *Le balayeur*. Histoire de rester un peu en Afrique. À un moment, quelqu'un a demandé où étaient Sden et Chloé. Nos rires et nos cris épouvantés ont béni l'escapade. Quelqu'un a dit, il s'emmerde pas, le Sden. Quelqu'un d'autre a répondu qu'il avait raison, putain la vie est courte. J'ai voulu savoir qui avait dit ça, qui était au bout de cette voix. C'était le percussionniste. J'ai entendu qu'il s'appelait Félix.

23

Sur le balcon, l'aube sent le printemps. Un mélange de terre imbibée et de plumages neufs, plus fort que la ville. Le ciel est un suave tissu tendu sur l'hiver, rose et gris. La soirée est passée. Nous restons cinq. Sden et Chloé, Stella et moi. Et puis Félix, parce qu'il devait se sentir bien. On fume ensemble la dernière cigarette de Sden. Derrière nous, il y a l'appartement à ranger, la musique qui poursuit sa course folle, et une paix entre nous qui ne s'est pas épuisée. Quelque chose nous tient ensemble, on voudrait que ça ne s'arrête pas.

Stella tremble des genoux et des dents. Elle a froid. Je la prends dans mes bras. On se réchauffe.

Les trois autres rentrent et commencent à ranger. Chloé met Dalida, *Il venait d'avoir dix-huit ans*. On chante avec elle. Les gobelets, les assiettes mêlées de mégots et de cake pas cuit glissent dans les sacs-poubelles noirs. Une nouvelle énergie nous habite. On va faire place nette. On va se faire un café. Attendre l'ouverture du tabac. Je fais équipe avec Félix. Je vois qu'il regarde parfois un lieu entre ma taille et ma poitrine. Je lui demande si j'ai une tache ou quelque chose. Il regarde attentivement, et me dit que non. Je suis rassurée, il ne tente rien. Pas envie de cet amour-là. Juste une fraternité qui tiendrait dans le temps. Je fais comme si.

On est bien ensemble, on forme une équipe de choc pour tout nettoyer. Sden s'est affalé sur le canapé et s'est endormi, une serviette chiffonnée à la main. Chloé et Stella se racontent des trucs. Félix et moi, on continue. Faire place nette. Faire équipe. Je le regarde à la dérobée, moi aussi. Il est beau, ne réclame rien. Il est fier. Il a une virilité qui me rappelle quelque chose que je sais des garçons et que j'ai appris d'Yvan.

Vers sept heures, on sort à la recherche d'un tabac ouvert. On s'emmitoufle dans nos manteaux, je prends celui de Chloé, plus chaud que le mien, je sens son odeur de petite fille. Félix me propose son bonnet. Je le mets sans vérifier mon image dans la glace. Peu importe à quoi je ressemble.

On marche sans un mot. Ou peut-être qu'il y en a, des mots. Des mots de rien. Tranquilles. Le premier tabac est fermé. On continue vers la gare. Quelques voitures circulent. Le deuxième tabac est fermé aussi. On marche encore. On se dit qu'on n'a pas envie de rentrer. On parle des gens, de la fête. De la bière grenadine, du cake à modeler, des chansons de Tiken, de celles de Claude François, des larmes de Stella.

Félix a dix-neuf ans. Je dis que je lui en donnais plus. Il dit, peu importe. Je dis, ouais. Et puis le silence est possible. Marcher côte à côte sans parler. Se sentir ensemble comme tout seul. C'est cela qui fait que lorsqu'on arrive vers le cimetière, je lui demande de me suivre. Il ne pose pas de question. Il me suit, comme si je lui proposais un raccourci. C'est comme ça qu'on se retrouve devant ta tombe, Yvan. C'est comme ça que je partage enfin ce lieu avec quelqu'un.

Là, il n'y a rien à dire. Sûrement que Félix lit les dates sur la pierre qu'on a posée depuis la dernière fois où je suis venue, calcule le dernier âge d'Yvan. Je ne sais pas ce qu'il pense. Il n'a pas l'air surpris, comme s'il avait été prévenu. Il n'a pas peur de cette mort. Il reste quelques minutes et même s'il ne me touche pas, il m'enveloppe à être là sans peurs, sans mots. Comme avec son djembé, il me répare à ne rien chercher à faire.

Il pose sa main sur mon bras. Me dit d'attendre. Et puis il s'en va. Je reste seule devant la tombe. Son départ me cause un léger déséquilibre, comme une cale qu'on m'aurait enlevée. Mais il a dit d'attendre. J'attendrai aussi longtemps qu'il le faudra. Il fallait que quelqu'un me fasse une promesse comme celle-là. Comme on dirait à un chien, pas bouger. Ça le déchire, le chien, mais il est heureux d'attendre, de poser sa confiance en celui qui tourne les talons. Il a dit, attends.

C'est plus léger que jamais, d'être là. Je suis passée à l'extérieur. C'est possible de rester là sans mots, sans tout le tralala de la caméra qui me regarde, sans ces images de toi qui me percent, Yvan. Les images sont là, mais elles me fondent. Quelque chose a basculé. Je ne sais si c'est Félix ou moi, ou la fête, ou le manque de sommeil, ou le manque de tabac. Ou le manque d'Yvan, usé jusqu'aux retrouvailles de ce matin. C'est possible à vivre maintenant.

Félix revient, à la main une branche de fleurs jaunes. Je ne sais pas où il l'a trouvée. Il la pose sur le granit poli en miroir où quelqu'un a gravé le nom d'Yvan sans le connaître avec des lettres dorées. Félix dit, voilà, sur le même ton qu'il l'a dit en rangeant la cuisine tout à l'heure. Ça me fait sourire. Je hoche la tête. Je glisse mon bras sous le sien et on repart vers un tabac. Tout est en ordre maintenant. Je respire plus largement. Je pleure de soulagement, Félix ne dit rien. Il serre plus fort mon bras contre son flanc, accélère le pas, pose une joie douce sur moi. M'entraîne dans sa force.

24

Quand on revient avec les cigarettes, l'appartement est silencieux, la musique a été mise au minimum. Il fait chaud, ça sent le tabac froid et le produit nettoyant au citron. Félix et moi, on fait le tour des pièces, triomphants avec nos cigarettes à la main, mais tout le monde est endormi. Sden est resté sur le canapé, Chloé et Stella se sont mises dans la chambre de Stella, tête bêche sur son lit. Félix met un disque de Rokia Traoré et va sur le balcon fumer une cigarette.

– Tu viens ?

– J'arrive.

Le ciel est installé maintenant. Il n'y a plus trace de nuit nulle part. Les voitures sont moins rares, le bruit de la journée sonne plein. Félix me tend le paquet de cigarettes. Je ne fume pas avec lui. J'ai envie de garder le goût des larmes et de la nuit blanche dans ma bouche. Je voudrais que rien ne bouge. On se regarde un peu, sans peur, et il y a ce sourire qui vient presque malgré nous.

– Je te connais, toi ! je lui dis, parce que c'est ça que je ressens.

– Ouais, on se connaît, nous ! il me répond.

Et puis mes paupières s'affaissent et mes yeux tournent. Le sommeil devient irrésistible.

– On devrait dormir un peu, non ?

On rentre. Je ramasse des coussins, des manteaux, un plaid qui a glissé du canapé. Félix met son djembé à portée de main. J'enlève mes chaussures et mes chaussettes. Il se met en caleçon et en t-shirt.

– Je serai plus à l'aise, horreur de dormir avec mes fringues.

Ça ne me fait rien. J'en fais autant. Slip et t-shirt. On s'installe côte à côte.

– On est bien, non ?

– Ouais. Super.

C'est vrai qu'on a bien chaud l'un contre l'autre. Normalement je devrais me poser des questions, sur ce que je veux exactement de ce mec. Je ne me demande rien. Il n'y a pas d'autre place pour moi qu'allongée près de lui ce dimanche à huit heures. Félix se relève, déplace une grande plante verte qu'il met devant notre lit improvisé comme un paravent. Il dit qu'on sera mieux comme ça. Je rigole. On est comme deux enfants qui se fabriquent une cabane.

On se prend la main parce qu'à un moment elles se touchent et elles s'attirent. Je lui propose une histoire pour s'endormir. Il soupire d'aise, dit que c'est la meilleure idée de la journée. Je lui raconte l'histoire de la petite poule rousse. Il écoute, les yeux au plafond, je vois son profil. Alors que le sommeil l'enveloppe, il me dit qu'il ne la connaissait pas. Il s'endort avant moi je crois, parce que j'ai une toute petite seconde un sentiment de solitude, le sentiment qu'il est parti. Mais ça ne dure pas, parce que je serre sa main et qu'il me répond. On s'endort comme ça. Lui je ne sais pas, mais moi je souris.

DO
A
DO

Emmanuel ARNAUD
LES TRILINGUES/2006

Chloé ASCENCIO
BIEN TROP PETITE/2000

Louis ATANGANA
DE NULLE PART/2002
CHAMBRE 27/2003

Florence AUBRY
MAMIE EN MIETTES/2003

Isabelle CHAILLOU
JOHN ET MOI/2004

Irène COHEN-JANCA
FILS DE ZEPPELIN/2000
L'ÉTOILE DE KOSTIA/2002
L'AUTRE CŒUR/2003
FASHION VICTIM/2005
LE CŒUR DE L'AUTRE/2006

Michael COLEMAN
FILER DROIT - DOADO NOIR/2006

Isabelle COLLOMBAT
DANS LA PEAU DES ARBRES/2006

Alex COUSSEAU
POISSON-LUNE/2004
LE CRI DU PHASME/2005
SANGUINE/2005
SOLEIL MÉTALLIQUE/2006

DO
A
DO

Vincent CUVELLIER
KILOMÈTRE ZÉRO/2002

Marie DUFEUTREL
X COMME XAD/2005

Christine FÉRET-FLEURY
J'AI SUIVI LA LIGNE BLEUE/2002

Bertrand FERRIER
HAPPY END/2003

Claudine GALEA
ENTRE LES VAGUES/2006

Claudie GALLAY
LES ANNÉES CERISES/2004

Guillaume GUÉRAUD
CITÉ NIQUE-LE-CIEL/1998
CHASSÉ-CROISÉ/1999
LES CHIENS ÉCRASÉS/1999
COUP DE SABRE/2000
APACHE/2002
COUSCOUS CLAN/2004
MANGA/2005
JE MOURRAI PAS GIBIER - DOADO NOIR/2006

Laura JAFFÉ
POUSSIÈRE D'ANGE/2000
SAM STORY/2005

DO
A
DO

Sébastien JOANNIEZ
TERMINUS NOËL/2002
C'EST LOIN D'ALLER OÙ/2003

Valérie MATHIEU
LE CIEL DE TRAVERS/2001

Bart MOEYAERT
NID DE GUÊPES/2005
C'EST L'AMOUR QUE NOUS NE COMPRENONS PAS/2005
OREILLE D'HOMME/2006

Frédérique NIOBEY
LOEÏZA/2001
EN ROUE LIBRE/2004

Zoran PONGRASIC
GOUMI-GOUMI/2004

Florence THINARD
UNE GAULOISE DANS LE GARAGE À VÉLOS/2003
ENTRE CHIEN ET LOU/2005

Marie-Sophie VERMOT
VOILÀ POURQUOI LES VIEILLARDS SOURIENT/2003

Hélène VIGNAL
PASSER AU ROUGE/2006

Adeline YZAC
LE JOUR DES OIES SAUVAGES/2004

Ouvrage réalisé par le Studio graphique des Éditions du Rouergue

Reproduit et achevé d'imprimer
par l'Imprimerie France-Quercy à Mercuès
en décembre 2006

Dépôt légal : janvier 2007
N° d'impression : 63328B
ISBN : 978-2-8415-6797-3